命のビザ、
杉原リストは語る

日本を経由したユダヤ難民逃避行

北出 明
Kitade Akira

交通新聞社新書 180

はじめに

前著『命のビザ、遥かなる旅路 ― 杉原千畝を陰で支えた日本人たち ―』(二〇一二年六月、交通新聞社刊) の出版準備でアメリカに出かけて今年で14年になります。二〇一〇年八月二九日、私は杉原ビザで助かったと言われる人たちに会うべく成田空港を飛び立ちました。

ヒューストン、ボストン、ニューヨーク、ワシントンDC、シカゴを3週間で駆け巡った取材旅行で面談した人たちは、過酷なホロコーストを生き抜いてきただけあって、それぞれ強烈な印象を与えてくれました。それを素材にした前著は幸いにも予想外の好評を博しました。

また、周囲の方々から英語版の出版を勧められ、二〇一四年六月に『Visas of Life and the Epic Journey』を上梓することができました。その効果もあってか、今では、講演で訪れた国はアメリカ、カナダ、イギリス、スイス、フランス、オランダ、リトアニア、デンマーク、イスラエルの9カ国、訪問した海外の都市は十数都市に上っています。

一方、それまで杉原千畝さんの勇気ある行動に畏敬の念を抱いていたところ、調査・研究を進めていくうちに、杉原さん以外にもユダヤ人の救出に尽くした内外の外交官がいたことに気付くに至りました。

今では、それらの人々の人道的行為が無ければ、あのユダヤ人たちのヨーロッパ逃避行は実現しなかったであろうと、専門家の間でも言われており、国際的に杉原研究が進展しつつある現在、今後はさらに広い視野に立った見方が必要になってくるのではないかと思います。

これに関連して、本書に収録したリストは私の独自調査によるものですが、その経緯は「第10章　杉原リストの2139人を追って」で詳述した通りです。これまで公にされてきた「杉原リスト」には記載されていなかったビザ受給者の年齢や家族関係、あるいは彼らが日本を出国する際に利用した船舶など、可能な限り情報収集に努めました。これにより、おぼろげながらも杉原サバイバーたちの姿が浮かんできたのではないかと思います。

なお、このリストを本書で取り上げることについては、リストの原本が所蔵されている外務省外交史料館のご了解を得ていることを付言します。

本書が皆様方の、いわゆる「命のビザ」に対する理解を深める一助になれば幸いです。

命のビザ、杉原リストは語る——目次

第1章

ナチスに追われた
ユダヤ人のヨーロッパ逃避行

〜ワルシャワ↓ビリニュス＼カウナス（リトアニア）↓モスクワ↓（シベリア鉄道）↓ウラジオストク↓敦賀↓神戸↓サンフランシスコ〜

二〇一七年九月七日の早朝、私は朝もやの立ち込めるリトアニアの第二の都市、カウナスの駅にいた。4日間の短いリトアニア訪問を終え、帰国の途に就くべく空港のある首都、ビリニュスに向かう列車に乗るためであった。

思えば、77年前の一九四〇年九月四日、「六千人」ものユダヤ人を救ったと言われる杉原千畝が家族と共にベルリン行の国際列車に乗り込んだ駅である。

杉原千畝が座席についた後も、ビザを求めて彼に追いすがってきたユダヤ人に、窓からビザを手渡したという話はあまりにも有名である。

おそらくここがその場所であっただろうと思われ

カウナス駅の正面

るプラットフォームに立った私は感慨ひとしおだった。なにしろ、ナチスの迫害から逃れようとした何千人ものユダヤ人によるヨーロッパ脱出劇の舞台となった現場である。

あることがきっかけで、私が杉原千畝に代表される「命のビザ」関連のテーマに取り組み始めてすでに十年近くが経過していた。その間に行なった調査や情報収集を通じて私には、彼らがどのようなルートで日本を経由し、アメリカをはじめとする自由の国々に逃れて行ったかについてはある程度の知識があった。

まず、杉原ビザを手に入れてヨーロッパを脱出した彼らのほとんどは、一九三九年九月一日の第二次世界大戦の勃発によってポーランド各地から逃げてきたユダヤ人たちであった。

彼らは当時まだ中立国であったリトアニアに逃れ、運よくカウナスの日本領事館で杉原千畝から日本通過ビザを発給してもらうことができた。これに、日本入国の条件である第三国へのビザ（筆者注：「第５章」で詳述する「キュラソー・ビザ」）を併せ持ち、日本に向かった。

プラットフォーム

そのルートは、カウナスから国際列車でモスクワに行き、そこでシベリア鉄道に乗り換え、ウラジオストクに到着し、そこから日本の船で海路敦賀（つるが）に向かうというものだった。

ここで、私が長い間疑問に思っていたことに言及したい。それは――、

彼らがリトアニアからウラジオストクに行くには広大なソ連領土を通過しなければならないが、ソ連当局はそれをどのように許可したのだろうか？　杉原千畝が事前に当局者から了解を得ていたというが、交渉はそれほど簡単に行なったのだろうか？　ましてや、当時リトアニアは既にソ連に占領されており、ユダヤ難民はソ連の厳しい管理下に置かれていたはずなのだが・・・？

情報収集の結果、ソ連当局が寛大かつ迅速にユダヤ人の通行を許可した背景には以下のような事情があったことが分かり、私の疑問は氷解した。

一九四〇年六月にリトアニアを併合したソ連は、ポーランドから逃れてきたユダヤ難民の問題を早急に処理したいと考えた。それは主に二つの理由からだった。

第一の理由は経済的要因であった。

ある研究者が入手したロシアの公文書館保存の資料によると、ユダヤ難民のソ連領内の

移動は国営旅行会社のインツーリストが一手に引き受けており、シベリア鉄道の運賃とホテル代などの収入は馬鹿にならなかった。以前、内務人民委員部（ＮＫＶＤ－ＫＧＢの前身）の長であったウラジミール・デカノゾフは当時ユダヤ難民の管理責任者を務めており、上司のモロトフ（後の外相）に宛てた手紙の中で「１５０万ドルの収入が見込まれる」と報告している。当時のソ連にとっては有難い外貨獲得の手段であったことは確かだ。

第二の理由として挙げられるのは――。

デカノゾフはＮＫＶＤ時代、対外諜報活動を担当していた経験からユダヤ難民をスパイに仕立てて世界各地に送り込もうとしていた。出国ビザを申請に来たポーランド人男性（ユダヤ人）に領事館の担当者はソ連のスパイにならないかと勧誘し、机の上にピストルを置き、取るか取らないかと迫ったというエピソードも残っている。

また、当時世界の各国はユダヤ難民の受け入れには消極的であり、ソ連も例外ではなかった。むしろ、彼らのヨーロッパ脱出は歓迎したいところであった。

さて、敦賀に上陸した後は一部の人を除き、ほとんどの人は神戸に向かい、同地の神戸ユダヤ協会（Kobe Jewish Community ―― JEWCOM）の支援を受けながら次の行き先国に向かう準備に当たった。

中にはユダヤ協会に頼らず、自分で東京や横浜にある外国公館に赴き、直接入国の許可を得るべく交渉したグループもあった。

一方、受け入れ国が決まらず、長期間神戸に滞留を余儀なくされたユダヤ人も多くいたが、それらの人々は最終的に日本政府によって上海の日本租界地に強制的に送り込まれることになった。

この彼らの逃避行に関する諸々の出来事については、この後に続く各章に譲ることとし、ここでは一人の人物の体験談を紹介し、本書のプロローグとしたい。

その人物とは――、

一九二三年一〇月ワルシャワ生まれのジェリー・シュモイス（Jerry Shmoys）と言う。

二〇一六年三月二六日、私はニューヨーク郊外のグレート・ネック（Great Neck）に住むシュモイスさんを訪ね、インタビューをさせてもらった。杉原サバイバーと呼ばれる人たちが少なくなってきていた当時、貴重な機会だった。

その日、92歳になるシュモイスさんはほとんど目が見えない状態だったが、私の訪問を歓迎してくれた。そして、まずは思い出すままに語ってもらうことから始めた。

「一九三九年九月一日、私は両親と一緒にワルシャワ郊外の村で休暇を過ごしていました。朝の洗顔をしていた時、頭上で飛行機の音がしたので見上げるとドイツ軍の爆撃機で、それで戦争が始まったのだと悟りました。2、3日してワルシャワの自宅に戻りましたが、我がポーランド軍はすべて撤退しており、九月末にはドイツ軍に降伏しました」

「九月一七日にはドイツはソ連と協定を結び、ポーランドを二分割するとともに、領土の一部をリトアニアに割譲することを決めました。そこから我々の逃避行が始まりました。農夫の荷馬車に乗せてもらったり、雪の原野を歩いたり、農家の納屋で寝泊まりしたりしてなんとかソ連とリトアニア国境の近くまでたどり着き、翌年の春までそこにいました」

「四〇年五月、父は斡旋人にお金を払い、ようやく我々はリトアニアのビリニュスに密出国することができました。そして、カウナスの日本領事館で杉原さんから通過ビザをもらい、ソ連からの出国許可を取り付けることに成功しました」

「四一年一月中旬、我々はモスクワからシベリア鉄道に乗り込み、10日以上も東へ東へと走り続けました。その間、ウラル山脈を眺めながら雪の原野が広がるバイカル湖沿いをひたすら進みました。途中のビロビジャンという町の駅で停車した時にはボロボロの洋服の男たちが列車の窓に近寄ってきました。彼らは政治犯が集められた収容所キャンプで働くユダヤ人で、なにか食べるものが欲しいと訴えました。我々は列車内では旅行者として扱われ、一日3度の食事があてがわれていたので、余ったものを分けてあげました」

シュモイスさんは75年前の記憶をたどりながら、ゆっくりと、静かに語ってくれた。1時間ほどたったころ、やはり少し疲れたようだった。年齢を考えれば無理もない。そこで、その後は質疑応答の形に切り替えた。

――ウラジオストクからのことをお尋ねしたいのですが、ここで乗船した「天草丸(あまくさ)」はどんな船でしたか?

「夜だったのでよく覚えていませんが、ただ、あまり大きな船ではなく、我々は一番下の大部屋の畳の上に寝かされました。海はとても荒れていて、ほとんどの人は甲板に上がり、手すりから乗り出して嘔吐していました。もちろん私もその一人でしたが」

——上陸したのは敦賀という港ですが、その名前は覚えていますか？

「もちろん覚えています。下船した後、すぐに港の駅（敦賀港駅）で列車に乗って鉄道の駅（敦賀駅）に向かいました。そこから再び列車に乗り、日本列島を横切り反対側の海に面した町に到着しました。そこが神戸という都会であったこともよく覚えています」

——神戸については、どんな思い出がありますか？

「神戸ではロシア人家庭の一室を借りて、一か月余り過ごしました。神戸ユダヤ協会のお世話の下、協会の食堂で食事をとりました。それがおいしかったこと、友人と街を散歩して楽しかったことなどを覚えています。京都に日帰りしたこともありました。父はその間、横浜にある米国領事館へビザの申請に何度も行きました。ある時私も同行し、途中、鎌倉の大仏を見学したこともよく記憶しています」

——米国へはいつ発ったのですか？

「四一年四月二六日、日本郵船の浅間丸で横浜を出港し、途中ホノルルに立ち寄って観光を楽しみました。当時、日米関係は非常に悪くなっていたので、船が途中で日本に戻されるのではないかと心配でしたが　幸いにも五月一〇日にサンフランシスコに到着しまし

両親と共に。15歳頃のシュモイスさん

た」

この日、高齢の父親を気遣ってか、長女のスーザンさんがインタビューに同席してくれた。それが無事に終了し、辞去する段になって彼女が玄関まで見送ってくれた。その際、彼女が目を潤ませながら語った言葉が今でも鮮明に私の心の中に残っている。

「私たち一家は、母を除き、祖父母、父、兄、私の5人は日本の外交官、杉原千畝氏にビザを出してもらわなければ、今頃この世に生存していなかったでしょう。そのことを考えると杉原さんには感謝の気持ちでいっぱいです」

翌日、私は帰国の途に就いた。機内で私は、杉原サバイバー本人から生の声で体験談を聞かせてもらえた幸運の余韻に浸っていた。

妻のエヴァさんと

　そのことを思い出しながら、ここに、インタビュー当日の写真と、シュモイス一家の逃避行を可能にしたパスポートの写真を掲げたい。

第2章　アルバムとの出会い

1940年頃に撮られた写真たち

古びた一冊のアルバムに収められていた7人の顔写真——。

そこに、これだけのドラマが秘められていたとは想像もできなかった。

それは、もう25年前にもなる一九九八年五月のこと、5年間の海外勤務を終え、帰国挨拶にかつての上司を訪問した時の出来事である。

儀礼的な挨拶もそこそこに、私は切り出した。

「大迫さんは第二次世界大戦が始まったころ、ナチスの迫害を受けてヨーロッパから逃げ出してきたユダヤ難民の海上輸送を担当されたそうですね。その時の様子を聞かせてください」

大迫辰雄さんは、一九三八年に現在のＪＴＢの前身であるジャパン・ツーリスト・ビュー

難民の女性船客と。左が大迫さん

ローに入社し、戦中・戦後の混乱期を経て、高度経済成長が始まったころの一九六六年に国際観光振興会（現在は国際観光振興機構＝ＪＮＴＯ）に出向してこられた。時を同じくして、私は大学を卒業し、ＪＮＴＯに就職したことに伴い大迫さんの部下となった。

「ああ、あの時のことね。それなら、ここに当時の写真を収めてあるからちょっと見てみて」

差し出されたのは一冊の古びたアルバムだった。

数多くの写真のほとんどはセピア色だ。当時大迫さんが従事した海上勤務の様子が窺える写真が5～6ページにわたって几帳面に整理されている。そのうちの1ページには7人の人物の顔写真が貼られてあった。男性1人、女性6人。寂しそうな表情、暗く厳しい視線、頼りなげな微笑、いずれも何かを訴えてくるような顔つきが並んでいるこのページはまさに圧巻だった。

〈60年近くもの間、よくぞ大切に残されていたものだ！〉

経緯は、おおよそ次のようなことだった。

一九四〇年前半ころからJTBはアメリカのユダヤ人団体からの要請で、ヨーロッパのユダヤ人のアメリカ逃避行を支援する業務を行なうようになった。経路は、シベリア横断鉄道でモスクワからウラジオストクまで行き、そこから日本の船（天草丸、2346トン）で福井県の敦賀に上陸するというものだったが、ヨーロッパの大部分がナチス・ドイツによって制圧されていたため、それが彼らに残された最後のルートだった。

そして、そのウラジオストク～敦賀間の海上輸送が大迫さんに課せられた任務だった。期間は一九四〇年末頃から翌四一年春までで、日本海が最も厳しい冬場だった。

「船が進まないんだ。風と波が激しくてね。本当にいつ沈むかと・・・。よく生きて帰れたものだと今になって思うよ。乗船客もほとんどがみすぼらしい服装で、うつろな目をしていて、祖国を追われた流浪の民の悲哀を漂わせていたよね。あの時ほど自分が日本人に生まれてきてよかったと思ったことはなかったね」

今しがた目にした7人の写真と大迫さんの体験談は、まさに衝撃的な感動だった。

その感動から5年が経った二〇〇三年六月、大迫さんは86歳の生涯を閉じた。お元気なうちにもっと詳しく話を聞いておくべきだった・・・。私は深い後悔の念に駆られた。

ちょうどその頃、独断で日本通過ビザを発給して６０００人ものユダヤ人を救ったと言われる杉原千畝の話があちこちで評判になっていた。しかし、それらのユダヤ難民がどのようにして日本にたどり着き、その後どうなったかについてはほとんど触れられることはなかった。

このままでは、当時のジャパン・ツーリスト・ビューローが果たした役割が多くの人に知られることなく現代史に埋もれ去って行くのではないだろうか。また、日本に逃れてきたユダヤ難民のほとんどは福井県の敦賀港に上陸し、そこで一般の市民たちに温かく迎えられたと聞くが、そういった事実もいずれ人の記憶から消えていってしまうことになるのではないだろうか。それではあまりにも惜しい！

私は行動を起こす決心をした。しかし、何処から何を始めるべきか？まずは、そもそもの出発点となった大迫さんのアルバムを手に入れることだった。

「いつまでも父のことをお考えくださり、心から感謝しております。どうぞ、このアルバムはお好きなようにお使いください」

大迫さんのご長女は快諾してくれた。

時を同じくして、私は偶然のことから日本海地誌調査研究会発行の『人道の港 敦賀』と題する小冊子を入手した。当時のユダヤ難民を目撃した市民の貴重な証言集で、まさに私が知りたいと思っていた情報が満載されていた。早速、同会会長の井上脩氏に連絡を取った。

「喜んでお会いしたいと思います。いつでもご都合のいい時にお越しください」

二〇〇九年六月五日、ついに敦賀初訪問の日がやってきた。お会いした井上氏は、小柄ながら凛とした雰囲気の漂う老紳士だった。

この訪問で私の気持ちは固まった。

本を書こう！

一二月、私はイスラエル大使館を訪れ、応対してくれた広報担当の一等書記官にアルバムを見せた。

「お話はよく分かりました。実は、私は東京に着任してまだ日が浅いのですが。そんなときに驚くべきお話がもたらされ、何か不思議な因縁を感じます。当館としても、この人たちの身元調査にご協力します」

イスラエルの若き女性外交官の目は潤んでいた。

初めて大迫さんからアルバムを見せてもらったのは九八年、ご長女からそれを借り受けたのは二〇〇九年、実に11年ぶりのアルバムとの「再会」だった。それ以来、私は毎晩のようにこの人たちと対話した。

「あなた方は一体ヨーロッパのどこから逃げてきたのですか？　そして日本を通過してどこへ行ったのですか？　今も元気に暮らしているのですか？」

「圧巻だった」と表現したそのページには、上段に３人、下段に４人。それぞれの写真の裏面には手書きのメッセージが・・・。なんと書かれてあるのだろうか？　早速イスラエル大使館に解読を依頼した。

前出の広報担当官、ミハル・タルさんは親切だった。

まず、上段左の唯一の男性。きれいな文字のフランス語によるメッセージは「わが良き友、大迫辰雄にわが良き思い出を」と大迫さんに対する親愛の情を表している。フランスから来たのだろうか。それともフランス語圏のベルギーからだったのだろうか。署名は「I. Segaloff」と読め、日付も一九四一年三月四日とはっきりしている。

上段中央の女性。ハッと息をのむような美貌である。大迫さんが「絶世の美人だった彼

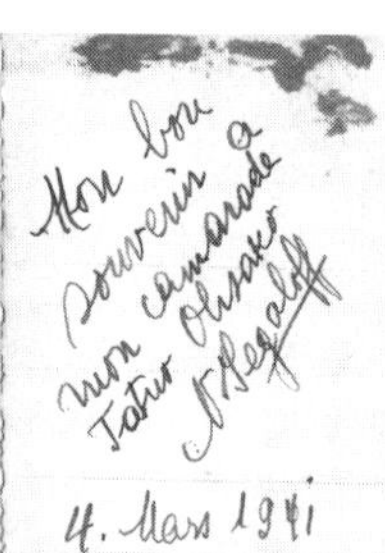

フランス語のメッセージ

ノルウェー語のメッセージ

女」と写真の下に記してあるのも頷ける。メッセージはノルウェー語で「日本の私の友へ」と。ノルウェーとは予想外のことだった。北欧の国の女性にとって日本は遥か彼方の未知の国であっただろう。署名は「Vera Harrang」と読めるが、日付は判読できない。

上段右の女性。ブルガリア語のメッセージで「ヘニイ（本人の名前）からあなたの思い出に」と。表に印刷されている文字から、首都のソフィアの写真館で撮られたものであることが分かる。日付は四一年四月五日と読める。大迫さんの乗船勤務の終わりの頃だ。

下段左端の女性。６人の女性の中で最も物静かそうな雰囲気の持ち主で、メッセージはポーランド語で「私を思い出してください」とのみ。署名がなく、日付は「40」、「X」、「2」から判断して、一九四〇年一〇月二日の可能性が高い。ただし、この日付はヨーロッパを脱出する時点のものだったかもしれない。

その右の女性。同じくポーランド語で前者と同様「私を思い出してください」と記されているが、続けて「素敵な日本人へ」の文言が加えられている。率直に言って、この女性が最も強く私の心を揺さぶった。それは、ナチスに追われたユダヤ人たちの苦悩を凝縮したような表情のせいかもしれなかった。署名は「Rosia（ロズィア）」と読めるが判然としない。

さらにその右の女性。きれいな筆跡で書かれたフランス語のメッセージは「心

ブルガリア語のメッセージ

ポーランド語のメッセージ

ポーランド語のメッセージ

フランス語のメッセージ

を込めて」と。署名は明瞭な文字で「Marie（マリー）」となっている。かすかに笑みを湛えているが、どのような心境だったのだろうか。

下段右端の女性。ドイツ語のメッセージは「親愛なる大迫さんへ　一九四一年三月二二日　天草丸にて」となっており、７人の中でただ一人、「天草丸」の名前を記している。「この船のお陰で私たちは助かったのだ!」と言いたかったのかもしれない。署名は「Toni Altschu・・・」となっているが、終わりの数文字が欠けているのが残念だった。

これらの人たちがその後どうなったかをどうしても知りたいとの一念がますます強くな

ドイツ語のメッセージ

るにつれ、本を書くには実地に取材するしかないと考え、ついにアメリカに出かけることを決心した。

しかし、闇雲に行っても成果はおぼつかない。効果的な方法はなにか。

〈そうだ、天草丸で敦賀に上陸したと思われる人たちに会い、アルバムを見てもらうのが一番の早道だ！〉

そこで、敦賀市役所と杉原千畝の出身地である岐阜県八百津町役場に、今なお健在のいわゆる「杉原サバイバー」と呼ばれる人たちの連絡先を照会したところ、幸いにも9人の情報を得ることができた。住所だけのもの、Eメールだけのものなどまちまちだったが、一つひとつ当たることにした。

二〇一〇年八月二九日、私はいまだ猛暑の続く成田空港を飛び立った。目指す訪問地はヒューストン、ボストン、ニューヨーク、ワシントン、シカゴ。

勇躍機上の人となった私だったが、一抹の不安がないではなかった。なにしろ70年前のことである。これから会おうとしている人たちの大半は日本にやってきたときは子供だったし、仮に彼らがアルバムの7人を覚えていたとしても、この7人が今でも健在である可能性は極めて低かった。

〈徒労に終わるかもしれない。それは分かっている。しかし、行動を起こせば何か掴めるかもしれない〉

不安と期待が入り交じった旅立ちだったが、もう後には引けなかった。だんだん小さくなって行く空港周辺の景色を眺めながら、私は覚悟を決めた。

第3章

私が会った杉原サバイバーたち、そしてその後

銀髪が印象的だったイーディス・ヘイマーさん

●イーディス・ヘイマーさん

25年ぶりに訪れたヒューストンは、日本顔負けの湿度の高い暑さだった。翌朝ホテルに迎えに来てくれた最初の面談者、イーディス・ヘイマーさんは銀髪の美しい小柄の女性だった。

「私が日本経由でアメリカに到着したのは3歳のときでしたから、当時の記憶はまったくありません。残念ですが、このアルバムの人たちのことも皆目見当がつきません。

ですが、それから数年して私が少し成長したとき、父がユダヤ難民救済委員会から借りていたお金を全額返済し終えました。その時の父の誇らしげな顔は子供心に今でもはっきりと覚えています」

「父はそれから間もなくして病気で亡くなり

ました。それまでの苦労がたたったのでしょう。そして母は再婚しました。でも、母の再婚はあまり幸せなものではありませんでした。それでも母は必死になって働き、私と弟の二人に高等教育を受けさせてくれました。幸せでなかった両親の人生を思うとき、私の胸は痛みます。でも、今、私たち二人が立派に生きていることを喜んでくれていると思います」

「そうなのです。今、私がこうして元気に私の人生を歩んでいられるのもひとえにミスター・スギハラのお陰なのです。私の両親がスギハラさんからいただいたビザの番号は７番と８番で、スギハラ・リストの第１ページに出ています」

「実は、お恥ずかしい話なのですが、私たちがスギハラさんに助けられたということを知ったのは随分後になってからのことでした。それを知ったとき、私はいても立ってもいられなくなり、なんとか感謝の気持ちを伝えたいと思いました。でも、時すでに遅しで、スギハラさんはもうお亡くなりになっていました。それでも、何とかしなければならないと考え、スギハラさんの奥様にお手紙を書くことにしました。今からもう10年以上も前のことでした。無事に奥様の手に届いたでしょうかね。聞けば、その奥様も最近お亡くなりになったとか・・・。

手紙ですか？　実はそのコピーをここに持ってきているのですが、もし良ければ読んでみてください」

杉原サバイバーとの最初の面談でいきなりこのような感動が待ち受けているとは思いもよらないことだった。ヘイマーさんが差し出した手紙のコピーを一読し、私は不覚にも初対面の人の前で涙を隠すことができなかった。

「親愛なるスギハラ夫人、ご家族様。

命の贈り物をくださった方に対してどのようにお礼を申し上げればいいのか私にはわかりません。しかし、私はそれをしなければならないと思います。

最近のことですが、私はご主人の故スギハラ・チウネ様が一九四〇年の夏、リトアニアのカウナスでユダヤ人を救われたというその偉業について初めて知りました。私自身も命を救われた人々の中の一人です。

当時、私は三歳の子供で、母のパスポートとビザに私の名前を記載してもらい、ヨーロッパから逃げ出すことが出来ました。両親のビザは一九四〇年七月二四日に発給され、スギハラ・リストでは七番目と八番目になっています。

世界の歴史の中でも稀な困難な時代に見せたご主人の深い同情心、感受性、比類なき勇気を支えられた貴女様とご家族に感謝申し上げます。いま、この感謝の念を直接ご主人にお伝えすることが出来ないのは残念の極みです。両親と私がご主人に巡り会えたのは幸運以外の何ものでもありませんでした。

どうか、今は亡き両親と私自身の感謝の念をお受け取りください。私は、今日まで生き延びて来られたこと、良い教育を受けられたこと、四〇年の間良き伴侶と共に人生を歩んで来られたこと、25年間多くの小学生を教えて来られたこと、現在は二人して医師になった素晴らしい双子の息子を育て、教育できたこと、掌中の珠である孫娘を持てたこと、友人たちや年々増える家族との交流を楽しんで来られたこと、人生が与えてくれる多くの楽しみを経験できたこと、それらのことを有難く思っています。

残念なことにこの手紙を日本語に訳してもらえる人を見つけることが出来ませんでしたが、私の意のあるところをお汲み取りいただければ幸いです。

私には一九四五年にアメリカで生まれた弟がおります。その弟を含んだ私の全家族からスギハラ家の皆様に私たちの感謝の気持ちをお送りいたします。

貴女様のご主人であり、お子様方のお父さんであるスギハラ・チウネ様が57年前に示された偉大な行動に改めて感謝しつつ。

一九九七年一月二三日　　　　　Edith Finkelstein Hamer」

私が受けた大きな感動が逆にヘイマーさんに〝伝染〟したようだった。適当な言葉が見つからず沈黙してしまった私に、彼女は心なしか潤んだ眼差しを向け、明らかに感情を抑えたようなくぐもった声で話を締めくくってくれた。

「せっかく杉原さんに助けていただいた命ですので、これからもまだまだ元気で生きていくつもりです。ですから、あなたも必ずもう一度ヒューストンに来てくださいね」

差し出されたヘイマーさんの手は温かく慈愛に満ちていた。まだ70代前半の彼女との再会は必ず果たせると確信して私は別れを告げた。

（その後）

「はじめに」で述べた前著の英語版の出版に際しては、インタビューさせてもらった関係者に完成本を送ったところ、真っ先に返事を寄せてくれたのはヘイマーさんだった。あの別れ際の温かい雰囲気がそのまま伝わってくるような労いのメールだった。

それから2年後の二〇一六年四月、私は依頼したいことがあってヒューストンのヘイマーさん宅に電話をした。六月にロサンゼルスで行なわれる日本政府主催の杉原千畝関連のイベントに私が参加することになり、そこにヘイマーさんにも杉原サバイバーとして参加してもらえないかとの打診のためだった。普通ならメールで問い合わせるところだったのだが、そのとき何かしら予感するものがあったのだ。電話口に出たのはご主人だった。

「ハロー、はい、こちらはヘイマーです。トーキョーのキタデ？　あぁ、ミスター・キタデですね。よく覚えていますよ。あなたの本は興味深く読ませてもらいました」

「思い出してくださって有難うございます。イーディスさんはご在宅ですか？」

「イーディスは・・・・・・・・・・・・・。愛する妻は・・・、去る２月に他界しました。病気でした・・・・・」

「えっ、・・・・・なんと申し上げていいか・・・・」

「もし、彼女が元気であれば、喜んでロサンゼルスに行ったでしょう。実に残念です。あなたのことはよく話していましたよ。今でも彼女の机にはあなたの本が置かれていいます。とても感謝していました」

適当な英語の言葉が出て来ず、一言二言、意を尽くせないままに電話を切った。実は、私は二〇一二年以降、毎年アメリカを訪れていた。ほとんどはニューヨークを中心とする

仲睦まじかったヘイマー夫妻

東海岸だった。その都度ヒューストン訪問を考えたのだが、いろんな制約があって果たせなかった。そのことが大いに悔やまれた。

今回、本書を出すに当たり、ヘイマーさんを偲びたいと考え、ご主人に依頼して最近の写真を送ってもらった。いずれも幸せそうな晩年の写真で、孫娘のソニアさんとのツーショットもあった。彼女は二〇一七年七月、祖母のホロコーストからの逃避行をたどる旅に出かけたとのことで、その体験記が送られてきた。ヘイマーさんが存命だったら、孫の成長ぶりをどんなにか喜んだことであろう。25年間、小学校の教師を務め、自分の体験を通して人間の持つ憎しみ、偏見、無関心がいかに危険なものであるかを子供たちに説いてきた。

ソニアさんも旅行の期間中、訪れた先々でお祖母さんが遺してくれた教訓に思いを馳せていたに違いない。

● サミュエル・マンスキーさん

ボストン郊外の老人ホームで待ってくれていたサミュエル・マンスキーさんは初対面とは思えない親しみがあった。それは、福井テレビのドキュメンタリー「扉開きしのち」に登場していた姿を何度も観ていたからだった。ただ、かなり面やつれしている印象は否めなかった。

「実は私は今ガンを患っていましてね。しかし、死ぬことはまったく恐れていません。あの過酷な運命を生き延びて来られた上に家族にも恵まれました。３人の息子がいますが、二人は大学教授、一人は銀行の役員として立派にやっています。来月90歳

「もう思い残すことはありません」と語ったマンスキーさん

になります。杉原さんのお陰でここまで長生きできて十分に幸せだったと思っています」

「このアルバムの人たちですか? さぁーて、もう70年も前のことだし、あの時われわれ家族は一番下の階の船室にこもりっきりでしたからね。その時の船が天草丸という名前だったかどうかも覚えていません。覚えているのは、船がソ連の領海の外に出たとき、甲板から大歓声が沸き起こり、全員が甲板に出て、今のイスラエル国歌の『ハティクバ』を歌い出したことです」

「その後に上陸した敦賀は私たちにとってまさに天国でした。街は清潔で人々は礼儀正しく親切でした。バナナやリンゴを食べることもできました。特にバナナは生まれて初めての経験でした」

「今の私にはもう思い残すことはありません。あなたのようにこうしてわざわざ日本から会いに来てくださる方もいることだし・・・。ただ、あなたとは再びお会いすることもないでしょうが、今の取り組みがいい成果を得られることをお祈りしています」

老人ホームの玄関まで付いて来てくれたマンスキーさんは、私の乗ったタクシーが発車するまでその場を動こうとしなかった。後部座席から後ろを振り向くとなおも同じ場所に立ち尽くし、炎天下、遠ざかる車をいつまでも見送ってくれていた。その泰然とした姿はホロコーストを生き抜いた一人の人間の強靭さを表わしていた。

二〇一一年六月二三日付の日本の各紙は一斉に次のような短いニュースを報じた。

「第二次世界大戦中、日本の外交官、杉原千畝の発給した日本通過ビザに救われた六千人以上のユダヤ人の一人であったサミュエル・マンスキー氏が日曜日にマサチューセッツ州ハイアニスの病院で死去した。友人と在ボストン日本総領事館が明らかにした。九十歳。なお、同氏は杉原千畝の顕彰碑を建てるために募金活動を行なうなど、その実現に尽力したことで知られる」

（その後）

マンスキーさんを老人ホームに訪ねた日、実は私は奥さんにも会っていた。ただ、その時の奥さんは元気がなく、簡単な挨拶を交わしただけで私とマンスキーさんの会話に加わることもなく、その場を離れて行った。後で知ったのだが、翌年の３月に亡くなられたという。

そのようなことから、マンスキーさんの死後はマンスキー家との接触はなく、拙著の英語版も届けることができないままであった。

それから５年半の月日が流れた二〇一六年一二月、あることからマンスキーさんの甥にあたるデービッド・マンスキー氏（この後はデービッドと呼ばせてもらう）との交流が始まった。彼の父親がマンスキーさんの弟になる。デービッドが私にアプローチしてきたきっかけは、来年（つまり二〇一七年）八月から九月にかけて妻のシーラと二人で、一九四一年の父親一行の逃避行をたどる旅を計画しているのでいろいろアドバイスしてほしい、というものだった。一行とは、マンスキーさん、その妹、弟（デービッドの父親）、それに母親の4人を指す。

氷川丸の前のデービッドとシーラ

　デービッド夫婦の旅は、まずは一族の祖国であるポーランドから始まる。現在住んでいるボストンからワルシャワに飛び、父親一家の故郷であるリダ（現在はベラルーシ）、4人が一時避難したリトアニアのカウナス（ここで杉原ビザを取得）、シベリア横断鉄道の出発点となるモスクワ、終点のウラジオストク、そこから船で境港（本来なら敦賀だが、現在は就航便がないため）、そして大阪に1週間滞在。その間に神戸、敦賀、八百津町を訪問し、最後に東京に来て成田から帰国するというもの。私とは事前の打ち合わせ通り九月十六日に会い、私の提案で横浜を訪問。そして、日本郵船歴史博物館と山下公園に係留されている氷川丸を見学したのだが、父親一行が乗った日枝（ひえ）丸と同型船と言われる氷川丸でデービッドは感慨ひとしおの様子だった。船内では一等から三等の客室を順に見て回ったが、「父たちは一等には乗れなかっただろうな」とポツリと漏らしたデービッドの言葉には一族を想う心情が籠っており、彼の温かく豊かな人間性が窺えた。

ここに掲げた写真は、一九三一年のユダヤの正月に撮ったマンスキー家の3人の子供たちで、右がマンスキーさん（当時11歳）、左が妹のミラ（同9歳）、中央が弟のサウル（同3歳、デービッドの父親）。ドイ

平和な時代のマンスキー家の子供たち

ツ軍のポーランド侵攻の8年前で、まだ平和な時代だった様子が窺える。

ところで、マンスキーさんの長男のチャールズさんはシカゴにあるノースウェスタン大学の経済学教授で、二〇一五年度のノーベル経済学賞の候補に挙げられた人物である。マンスキーさんとのインタビューの際、シカゴにも取材で立ち寄る旨を伝えたところ、それならぜひ息子にも会ってやってほしいと言われた。そこで、アポを申し込んだのだが、私のシカゴ訪問の予定日にはチャールズさんは出張中とのことで残念ながら面談は叶わなかった。

私からその話を聞いたデービッドは、ではアメリカに戻ったらチャールズに伝えておこうと言ってくれた。しかし、よもやチャールズさんからメールが来るとは思っていなかった。デービッドが帰国してしばらくたったころ——、

「親愛なるキタデさん、従弟のデービッドがあなたのメールアドレスを送ってきてくれました・・・」に始まるメールに私は感激させられてしまった。

「以前、私はあなたの本を入手し、読ませてもらっていましたが、今回もう一度読み直しました。難民たちを敦賀に運んだミスター・オオサコの功績をはじめＪＴＢの果たした役割を広く知らせたあなたは素晴らしいことをされたと思います。もちろん、ミスター・

スギハラは多くの称賛に値すると思いますが、時として世間は一人の人物に焦点を当てすぎ、他の人々の貢献を忘れ、そのため歴史を個人的なものにしてしまう傾向があることは否めません。あなたの本は、難民の逃避行を可能にした多くの人々の存在を知らせてくれました」

「二〇一〇年にあなたがフラミンガムの老人ホームに父を訪ねてくださったことを知り、驚くと同時に感動しました。父には多くの日本の知り合いがいるとは聞いていましたが、あなたが個人的に会いに行ってくださったことは知りませんでした。あの年の９月は、父にとっては厳しい時期でした。当時、母は認知症が始まっていました。そのことが父に重くのしかかっていたのです。ご存知のように、両親は二〇一一年の前半に相次いで亡くなりました。母は三月、父は六月でした」

「しかし、２人とも長寿を全うし、人生の大半は幸せでした。そのことに悔いはありません。実際のところ、第二次世界大戦中にヨーロッパでやすやすと命を奪われていたかもしれない父が、ボストンで90歳まで生きながらえたのはまさに奇跡的なことと思います」

７年前の取材からこのような素晴らしい二人の人物に出会えた幸運は、やはりマンスキーさんがもたらしてくれたのではないかと思っている。

●リリー・シンガーさん

実に明朗快活な老婦人だった。先に会ったヘイマーさんにしてもマンスキーさんにしても、過酷な運命に翻弄されながらもそれと闘い、ようやくにして幸せを掴んだという、苦難を経たことによる〝陰影〟を感じさせられたが、このシンガーさんは「過酷な運命?　そんなもの私には関係ありませんよ」といった風情だった。その上、ユーモアのセンスも一流だった。

早速、私は大迫アルバムを取り出し一問一答を始めた。

「これらの7名のうちこの2名はポーランド出身のようで、裏書のメッセージはポーランド語らしいのですが、お読みにな

リリー・シンガーさんと

れますか？」

「あなた、私はポーランド生まれのポーランド育ちなのよ。どれどれ、読みにくい文字だわねぇー。『私を・・・覚えて・・・いてください・・・素敵な・・・日本人へ・・・』といった意味のようね」

「この写真を初めて見たときから、この人たちはどんな気持ちで大切な写真を大迫さんに手渡したのだろうかと、とても気になっていました。そのような意味なら、やはり乗船中お世話になったことへの感謝の気持ちからなのでしょうね？」

「多分そうでしょうね。でも、案外、あなたのボスから要求したのかもしれないわね。相手が若い女の子だから、ホホホ・・・」

「・・・・？？？」

「冗談よ。それより、あなたがそのようにしていろいろ調べている目的はなんなの？」

「実は、杉原さんのあの偉大な人道的行為を陰で支えた人々もいたのだということを広く知ってもらいたいというのが私の狙いで、それをテーマにした本を書くことを計画しているのです」

「それは素晴らしい！　私もぜひ読みたいわ。それで、その本はいつごろでき上がるの？」

「まだ調査活動を始めたばかりなので・・・。それに、日本語での出版が先決問題で、英語版というのは今のところ・・・」

「あなたって悪い人ねぇー」

「すみません。私は職業作家ではありませんので・・・。ところで、スギハラ・サバイバーとして、なにかお話いただけませんか?」

「スギハラさんに関してはあふれるほどの思いがあるわ。

一九八五年にイスラエル政府がスギハラさんに『諸国民の中の正義の人』の称号を贈ったわね。実は、私はその前から一度お礼の手紙を書きたいと思っていたの。でも、なかなかペンが取れなくてねぇ。それで、そのときがチャンスだと思って書こうとしたの。ところが、その頃、スギハラさんはとても重い病気だというじゃないの。私は自分の怠慢が本当に恥ずかしくなったわ。相手の人が重病だということが分かっていて、手紙を書くことほど辛いことはなかったわ。命を助けてもらったことへの遅ればせのお礼と病気のお見舞いを書いたのだけど、私の気持ちを十分に伝えられなかったわ。それが今でも心残りでね。それよりもなによりも、私の手紙はスギハラさんに読んでもらえたかしらね」

「あなたが探している人たちの消息が掴めるようにお祈りしていますね。それから、あなたの本を英語版で出すことも忘れないでね」

マンスキーさんとの別れは後ろ髪を引かれる思いだったが、この〝肝っ玉母さん〟とは、そんな〝愁嘆場〟は無縁だった。

〈この分だと、このオバアサンはまだまだ大丈夫だな〉

後ろ髪を引かれるどころか、私は背後から力強く押し出されるようにして見送られた。


（その後）


二〇一〇年の取材の後、私は２年の間隔で日本語版と英語版を出版したが、インタビューをさせてもらった人たち及びその家族とは何らかの形で接触を保ち続けていた。

しかし、シンガーさんとは英語版を送った後、パッタリとコンタクトが途絶えてしまった。前述の通りその後何度かニューヨークに行く機会があったので、近郊にお住まいのシンガーさんのところにはぜひとも挨拶に行き、気にかけてもらっていた英語版に対する感想も聞かせてもらいたかった。ひょっとしたら、持ち前のあのユーモアを交えた辛口のコメントが聞けるかもしれないとの期待もあったのだ。

ところが、そのころ最愛の娘さんを亡くし、非常に落ち込んだ日々を送っているとのことだった。それを伝えてくれたのは、そもそも私をシンガーさんに引き合わせてくれたキャッツ邦子さんだった。キャッツ邦子さんは、英語版のための翻訳でもお世話になり、私にとっては最大の恩人ともいうべき方である。

そっとしておいてあげましょう、ということになり、また数年が経過してしまった。

今回、本書の原稿を書くにあたってシンガーさんのことが気になり、なにげなくインターネット上で「リリー・シンガー」を検索してみた。すると、驚いたことにアメリカのどこかのテレビ局の番組でシンガーさんが登場し、インタビューに答えている場面がユーチューブで見られたのだ。

番組の内容は杉原千畝の話で、オーストラリア人の日系人俳優が演じる舞台劇の紹介であった。そこに、シンガーさんが杉原サバイバーとして登場していたというわけである。舞台劇は陳腐なものだったが、杉原サバイバーの本人がコメントしているという点で少しはインパクトがあったようだ。

ただ、この番組の放映日は二〇一四年一一月一一日となっていたが、娘さんを失くす前のことだったのか、後のことだったのか・・・。いずれにしても、今でもお元気で過ごしておられることを祈るばかりである。

●シルビア・スモーラーさん

ニューヨーク・マンハッタン中心部の超高級マンションの一室で、にこやかに私を迎えてくれたシルビア・スモーラーさんは、岐阜県八百津町に両親と自分の３人の命を救ってくれた杉原ビザが押されたパスポートを寄贈した人物として知られる。八百津町から寄贈の要請を受けた杉原サバイバーのほとんどは、「それだけはご勘弁願いたい。我が家族の命なのですから」と。その中で、快く応じたのはスモーラーさんただ一人と言われている。

さて、訪問の目的だった大迫アルバムを見てもらった。

「こんな貴重な写真をわざわざ日本か

手料理を用意して待ってくれていたシルビア・スモーラーさん

ら・・・・・。残念ながらどの人にも心当たりがありませんわ。でも、大迫さんはなんとハンサムな方だったのでしょう。もし、私が年頃の娘だったら、きっと恋をしていたにちがいないわ、ホホホ・・・」

私が気落ちした様子を見せたのだろうか、軽い冗談でさりげなく私の気持ちを気遣ってくれた。

そして、お返しにと言って見せてくれたのが一枚の写真。驚いたことに、それは神戸に滞在中京都に旅行した際、清水寺の前で撮ったもの。難民と言っても写っている人たちは全員立派な服装をしている。聞くと、スモーラーさんのお父さんはポーランド内務省のお役人で、政府内のユダヤ人としては最高の地位についていた由。

ところで、スモーラーさんに会ったらぜひ尋ねたいことがあった。ほかでもない、八百津町に寄贈されたパスポートに関することである。決心するには大いなる決断を要したことと思うが、あの寛大さは何処から来たのだろうか？ 私がそのことに言及すると、彼女はニッコリと頷き一枚のペーパーを差し出してくれた。

「パスポートの贈呈式が八百津町で行なわれたのは一九九三年一二月四日でした。そのとき、請われてスピーチを行いました。これがその原稿です。良かったら、後で読んでおいてください」

数々の貴重な話を聞かせてもらった上、手作りの料理をふるまわれるなど予期していなかった歓待を受け、辞去するのが惜しまれるほどの楽しい訪問だった。その余韻に浸ろうと、私はホテルの部屋に戻るとすぐにスピーチの原稿に目を通した。

「本日、このパスポートを贈呈させていただきますことは私の大きな喜びでございます。

これは、何千人もの命を救った気高い行為を実践した杉原千畝という人物の人道精神の遺言と言うべきものであります。

ユダヤ教の聖典であるタルムードには『一つの命を救う者は世界を救う』という格言があります。私は杉原千畝さんこそまさにこの『世界を救う』役割を果たした人ではないかということを皆さんに申し上げたいと思います。

子供のとき、私は両親と共に第二次大戦下、ナチスの迫害から逃れるためポーランドからリトアニアにやって来ました。ヨーロッパを脱出するには第三国への入国ビザが必要でした。ヨーロッパから出られないユダヤ人にはナチスの収容所で確実に死の運命が待っていました。そこでは、ガス室に送られ、焼却炉で死体が焼かれていたのです。

在リトアニアの杉原千畝領事は卓越した高潔な人物で、難民の立場を理解し、彼らに救いの手を差し伸べないではいられなかったのです。そこで、杉原さんは日本への通過ビザを発給することによって彼らを助けたのです。本国の許可を得ずに、日本国の赤い公印が付いた命のビザを何千通も発給したのです。私たちは彼のビザのお陰で日本に来ることが出来、それによって救われた六〇〇〇人の一人です。

きょう、私がここにこうして立っていられるのも杉原千畝さんに命を救われたお陰なのです。

・・・・・(後　略)・・・・・

一九四〇年に賜ったご恩と、一九九三年のきょう、皆さんから示されたご好意に厚くお礼を申し上げます」

1993年に八百津町で行われたパスポート贈呈式
写真提供：八百津町

ハフトゥカ一家3人の命を救ったビザ――。

つい数時間前にスモーラーさんの自宅でパス

ポートの写真を見せられたときの感動が蘇ってきた。そこには紛れもなく、「在カウナス大日本帝国領事館」のスタンプが押され、杉原千畝の手書きによるビザが記載されてあった。

（その後）

二〇一〇年の取材後、一度も再会できなかったヘイマーさん、マンスキーさん、シンガーさんとは正反対にスモーラーさんとは何度も会う機会があった。

ここで話が少し横道に逸れることをお許しいただきたい。

二〇一四年九月、私は在ロンドンの大和日英基金の招きにより、同基金の会員を対象に講演する幸運に恵まれた。参加者の７割ほどは現地のイギリス人で、残る３割ほどは現地在住の日本の人たちだった。その中に、「梶岡潤一」と名乗る新進気鋭の映画制作者（監督兼俳優）がいた。講演が終わった後の懇親会で真っ先に私のところに駆け寄ってきたのが梶岡さん（と呼ばせてもらう）だった。「大迫アルバム」の７人を追跡している私を追ったドキュメンタリーを制作したいとの申し出だった。話はとんとん拍子に進んだ。

２カ月後の一一月、私のニューヨーク訪問に合わせて梶岡さんがロンドンから飛んできた。そこで、私の仲立ちにより、彼がスモーラーさんを撮影取材することになったわけである。

完成した梶岡作品（題名：「杉原千畝を繋いだ命の物語」）に登場したスモーラーさんは私の英語版に言及してくれた。

「私は以前から、あの大勢のユダヤ難民が助けられた背景には、杉原ビザ以外にもきっと他の人々の手助けがあったに違いないと考えていたのですが、それがキタデさんの本でよくわかりました。そのことを書いてくれた彼は本当にいいことをしてくれたと思います」

さて、二〇一五年一二月五日、映画『杉原千畝 スギハラチウネ』が一般公開されたことはまだ我々の記憶に新しい。その1週間ほど前のこと、制作者の日本テレビのプロデューサーから、私の知り合いの杉原サバイバーを紹介してほしいとの依頼があった。都内で行なわれる一般公開の際の舞台あいさつに登場してもらえる人を探しているとのことで、私は躊躇なくスモーラーさんを推薦した。彼女から「喜んで！」の快諾があり、東京での再会を期待したのだが、残念なことに私は真逆にニューヨークでの仕事が入り、彼女の壇上の晴れ姿を見ることができなかった。

その後のさらなる再会は二〇一七年八月四日、八百津町が主催した恒例の「スギハラ・

ウイーク」においてだった。この時、同町はスモーラーさんの講演会を企画し、梶岡さんと私も共演者として招かれた。

まず、梶岡作品のドキュメンタリーを上映し、梶岡さんが軽妙な語り口で制作の背景を語った。このドキュメンタリーは、前述の通り私の活動を追ったものなので、私が頻繁に登場してくる。満員の会場で来場者と一緒に観ていて面映ゆい限りだった。

次に私が「スモーラーさんとの出会い」と題し、二〇一〇年の初対面の時からの話を披露した。

最後のスモーラーさんは綺麗に着飾り、満面に笑みを湛え、ゆっくりとした足取りでステージに登場した。まさにオーラを発散しているという表現がぴったりで、会場の雰囲気が一変したように感じた。

〈我々とは役者が一枚も二枚も違う！〉

私は心の中でそう呟いてしまった。

静かな語り口で始まった講演の内容もスケールが大きく、会場に感動の渦を巻き起こした。

「みなさんは『バタフライ効果』というものをご存知ですか。それは、一匹の蝶の羽ばたきが周囲の空気を振動させ、それがやがて世界中に広がり、最終的には気候変動をもたらすと言われます。それがバタフライ効果です。

あの時、杉原千畝領事がリトアニアのカウナスで出してくださったビザのお陰で多くのユダヤ難民が救われました。その中には有能な学者、科学者、芸術家、音楽家、政治家、医者がいました。今、それらの人々の子孫が世界中で活躍しています」

若々しかったマーシャ・レオンさん
©Karen Leon

● マーシャ・レオンさん

「本当なら私の家に来ていただきたいのですが、あいにく今、内装工事中なもので・・・。代わりに私の行きつけのレストランでお会いしましょう」

翌日、指定された中華レストランで会ったマーシャ・レオンさんは、想像以上に若々しかった。

「私のホロコースト体験の原点とも

いうべき出来事はこのようなことでした。

一九三九年九月にドイツがポーランドに攻め込んで来た後、私は母と二人でワルシャワを逃げ出しました。そのとき、一人の農夫が荷馬車に乗せてくれました。郊外まで運んでくれるというのです。すでに12人ほどの人で一杯でした。農夫は私たちからすべての貴重品を集めました。ドイツ兵に見つかっても自分なら調べられないとのことでした。彼は私たちをドイツ軍の司令部まで連れて行き、『ユダヤ人のご一行をお連れしやしたぜ』と言って、私たちの所持品を持ち去りました」

「私たちは建物の壁を背にして整列させられました。ドイツ兵は私たち一人ひとりに番号札を貼り付けました。そして、冬の夜一晩中、立たせられました。明け方、ドイツ兵はピストルを手にして戻って来ました。そして、よく映画で観られる射殺の場面が展開されました。そのとき犠牲になったのは奇数番の人たちでした。私と母は離れ離れになっており、幸運にも偶数番だったので奇跡的に助かりました。奇数にするか偶数にするか、それはそのときのドイツ兵のきまぐれで決まるのです」

それまで、映画や読み物の世界でしか知らなかった話を当事者から聞かされ、圧倒される思いだった。想像を絶する出来事に遭遇した人物と、今こうした平和な時代にニューヨークという自由で華やかな町で対面していることに戸惑っている私にお構いなく、マーシャさん（と呼ばせてもらう）の話は続いた。

「それから逆のケースがありました。

ドイツはドイツ領内からユダヤ人を追い出そうとしたし、ソ連はソ連領内にユダヤ人を入れようとはしなかったため、境界線で立ち往生した人々は飢えと寒さでバタバタと倒れて行きました。私たちはソ連領内に住む母の両親を頼って行こうとしていたのです。私はおたふく風邪にかかり熱を出していました。そのとき、一人の農婦が助けてくれました。私たちを荷馬車の中に隠し、無事にドイツ領内から連れ出してくれました。そして、しばらくの間、彼女の家の納屋でかくまってくれたのです。ユダヤ人を助けたことが発覚すると村中の人々が処刑される時代でした」

「母はお礼にと言っていくばくかのお金を差し出しました。しかし、農婦は受け取りませんでした。『私はクリスチャンです。困っている人を助けるのは当然です。お金を受け取れば私はクリスチャンでなくなります』と」

「アラアラ、私ひとりがおしゃべりしてしまって…。あなたのお話もお聞きしなくちゃね。そうそう、天草丸に関してでしたわね？　それはもう、海は荒れっぱなしで、船は大揺れに揺れていました。みんな船酔いで、あちこちで嘔吐していました。そのため船室は異臭が立ち込めていました。あまりの臭さに私は甲板に出て、一人で遊んでいました。私はなぜか船の揺れには平気でした。乗組員の一人に、子供は下に降りて行くように言われたのを覚えています」

「ああ、この人がオーサコさんですか？　そりゃ覚えていませんよ。あんな状況だったのですからね。残念ながらこの七人の人たちにも心当たりはありません。それに、必ずしも同じ時に天草丸に乗っていたとは限りませんしね。

ところで、シカゴではレオ（後出のレオ・メラメド氏のこと）にお会いになるそうですが、よろしくお伝えください」

〈エッ！〉

料理を口に運ぼうとした私の手が止まったままになった。

「オヤ、ご存じなかったのですか？　私とレオは小さいころからの知り合いでした。ヨーロッパを逃げ出す前の一時期、両方の家族はヴィルノに住んでいました。そのとき、私の誕生パーティーが開かれ、みんなで撮った写真があります。これがその写真です。ここには十数人の子供が写っていますが、大半は強制収容所に送られ、命をなくしています」

MASHA BERNSTEIN (LEON) 9TH BIRTHDAY PARTY IN VILNIUS, LITHUANIA MARCH 20,1940

写真上の説明文：「マーシャ・レオンの9回目の誕生日。1940年3月20日、リトアニアのビリニュスにて」

神戸市民との交流を示す貴重な写真。前列中央の少女がマーシャ
©Karen Leon

マーシャさんとレオ・メラメド氏が以前からの知り合いだったという事実にはかなり驚かされた。今回、９人というごく限られた数の取材対象者の中にお互いを知っているという一組がいたとは！

もう少しインタビューを続けたいところだったが、現役のジャーナリストとして活躍中のマーシャさんは多忙で、次の約束があった。

「十分な時間が取れなくてすみませんでしたね。もし、質問があればいつでもメールをください。また、次回ニューヨークに来られるときは必ず知らせてくださいね」

入って来た時と同様、彼女は颯爽とレストランを出て行った。

（その後）

前著を出版するにあたっては、日本に到着した多くのユダヤ難民たちにとって最後の舞台となった神戸に関する記述は不可欠だった。神戸取材を実行した2012年3月7日の朝、自宅を出る前にメールをチェックしたところ、ニューヨークのマーシャさんからメッセージが届いていた。

「以前、あなたにお話した、私たちの神戸滞在中、市内のどこかの公園を散歩していたときに撮ってもらった写真が見つかったので、お送りします。この公園の名前は残念ながら記録がありません。当時、私たち難民はカメラを持ち歩くことは禁じられていました。この写真を撮ってくれた日本人グループの誰かが私たちの滞在先に送ってきてくれたもので、これが唯一の日本での写真です（前ページ）」

ユダヤ難民と一般市民との交流の跡が窺える何かが得られればと期待して神戸行きを実施したのだが、なんと出発に先立ってその〝物証〟が転がり込んで来たのである。私は新幹線の中で二枚の写真の虜になっていた。ニューヨークでの取材が十分でなかったことを気にしてくれていた彼女の気遣いが嬉しかった。

その後、マーシャさんとの交流は続き、前述の梶岡潤一さんのドキュメンタリー制作の際にも、私が依頼してインタビューを快諾してもらった。

次の年の二〇一五年四月二七日、安倍首相（当時）がワシントンのホロコースト博物館を訪れた際には、レオ・メラメド氏と共に杉原サバイバーの代表として握手を交わした。

そのように、まだまだ元気で過ごしていることと思っていた二〇一七年四月五日、「悲報（Sad News）」の件名のメールが飛び込んで来た。

「アキラさん、悲しいお知らせです。今朝、母は眠りの中で息を引き取りました。これまでのあなたの親切と友情に感謝します。取り急ぎ・・・。　カレン」

カレンとはマーシャさんの次女で、我々はそれまで何度も会っていた間柄である。早速、八百津町、敦賀市、福井テレビ等の関係先に訃報を伝えた。数日後、再びカレンからメールが届いた。

「アキラさん、母のためにあなたがしてくださったことに家族一同、感謝の言葉もありません。日本から届いた数々のメールは私たちにとって大きな慰めとなりました。あなたは本当に母の真の友人でした。母はあなたからのメールをいつも楽しみにしていました。あなたは母の人生を豊かなものにしてくださいました。どうかこれからもよろしくお願いします。日本、敦賀、神戸、そして杉原千畝さんの英雄的行為は母の心の中を大きく占め

フィショッフ家の集合写真　写真提供：ベンジャミン・フィショッフ

ています。

ドーモ　アリガトー　ゴザイマス　カレン」

こうして、またひとり、ホロコーストの貴重な証言者、というより私にとっては得難い友人がこの世を去っていった。

● ベンジャミン・フィショッフさん

「ちょっと見てください。これが私の全家族です。子供が5人、孫が26人、ひ孫が・・・ええっと何人だったかな?」

誇らしげに一枚の大判の写真を見せてくれたのはベンジャミン・フィショッフさん。87歳の現役の銀行家である。

「どれどれ、この人たちも天草丸に乗っていたのですね。いやぁー、心当たりはありませんね。と言うのも、私は天草丸で大変な難儀をしましてね。忘れもしません、一九四一年三月一三日のこと。我々の船が敦賀に到着し、入国係官が乗り込んできて我々のパスポートをチェックした途端、次の行き先国のビザがないから入国は認められないと。係官には、入国した後、神戸ユダヤ協会の斡旋で必要な書類を整えるからと必死の訴えも空しく、我々一行74名は3日後の一六日にウラジオストクに送り返されてしまいました」

「すると、今度はソ連の官憲から「日本のスパイ」呼ばわりをされ、数日間、船に閉じ込められました。結局、何の見通しもなく再び敦賀に向かったのですが、港に近づくと見覚えのある人が手を振ってくれていました。神戸ユダヤ協会の人でした。協会の奔走でやっとのことで上陸することが出来たのですが、それは、私にとって運命の日とも言うべき三月二三日のことでした」

「神戸ユダヤ協会が駐日オランダ大使館と交渉してキュラソーに上陸するための証明書を入手してくれたのです。キュラソーのことは知っていますね？　簡単に説明すると、当時オランダ領だったカリブ海のキュラソー島にはビザなしで行けたのですが、そのことを証明する書類が必要だったのです。そこで、我々ユダヤ難民はカウナスのオランダ領事館に行ったのですが、ソ連の命令でそこはすでに閉鎖されていました。そのため、日本の領事館で杉原さんから出してもらった日本通過ビザだけで日本にやってきたことから、そのような事態になってしまったのです。いずれにしても、結果的には日本に入国できたわけです」

「ところで、話は飛びますが、数年前にここニューヨークでズワルテンダイク氏の3人のお子さんと夕食を共にしました。ズワルテンダイク氏というのは、あの当時、カウナスのオランダ領事をしていた人で、杉原さんと同じように多くの同胞にキュラソー入国の証明書（通称、キュラソー・ビザとよばれるもの）を発行してくれたご当人なのです（第5章で紹介）。つまり、杉原さん同様、我々ユダヤ難民にとっては恩人ともいうべき人です。そこで、ニューヨーク在住の、かつてキュラソー・ビザで救われたユダヤ人たちが集まってお子さんたちの歓迎会を催したのです」

「私は夕食会の席上、お子さんたちにお礼を述べました。そのとき、もう何十年も昔のことなのに、どうして私のことが分かったのかと尋ねました。すると驚くべき答えが返ってきました。なんと、ワシントンの国立公文書館に74名のリストが保管されているというのです。東京のオランダ大使館が作成したリストがどういう経路で国立公文書館に渡ったのか、今でも不思議でなりません」

「いずれにしても、私はミスター・スギハラやズワルテンダイク氏のお陰で日本にたどり着けました。しかし、いろいろな事情ですぐには日本から出国できず、四一年八月まで神戸に留まり、結局、強制退去の形で上海に送り込まれました。そして、四七年にようやくのことでアメリカに来ることが出来ました。そのとき私はたった一人でした。親兄弟はヨーロッパに留まったため、後に全員が殺されました」

杉原サバイバーは程度の差こそあれ、それぞれ数奇な運命をたどって来たのであろうが、フィショッフさんの来し方は殊のほか波乱に満ちたものであったようだ。

ところで、フィショッフさんの話の中に出てきたキュラソー・ビザに関しては、正直に言うとその時点では詳しく知らなかった。しかし、数年後どういう因縁からか私はこれに深く関わることになるのだが、そのことは第５章で詳述したい。

かくしゃくとしていた現役時代のフィショッフさん

（その後）

フィショッフさんとは、その後ニューヨークで何度か会った。特に、拙著の英語版の出版についてはいろいろ困難があり、相談に乗ってもらった。主にアメリカで読んでもらうことになるのだからアメリカの出版社に当たろうとした。それには英文原稿を用意しなければならない。翻訳はニューヨーク在住の知人３人に分担してもらった。そのため、１万２千ドル（当時のレートで約百万円）を要した。もちろんポケットマネーである。しかし、引き受けてくれそうな出版社がおいそれと見つかるわけがない。自費出版という方法もあるにはあるが、翻訳料で私の資金は尽きていた。その間、フィショッフさんにはいろいろアドバイスをもらっていたので、自費出版のための資金調達を掛け合ったところ、途端に冷徹な銀行家の顔になった。

結局、幸運にも日本国内の出版社に引き受けてもらえることになり、２年余りの悪戦苦闘の末、英語版はようやく日の目を見ることができた。完成本を関係者に送付し終えたころ、前出のキャッツ邦子さんから電話が入った。彼女には翻訳でも協力してもらっていたのだ。

「昨日、フィショッフさんから本が届いたとのお電話をいただきました。とてもお喜び

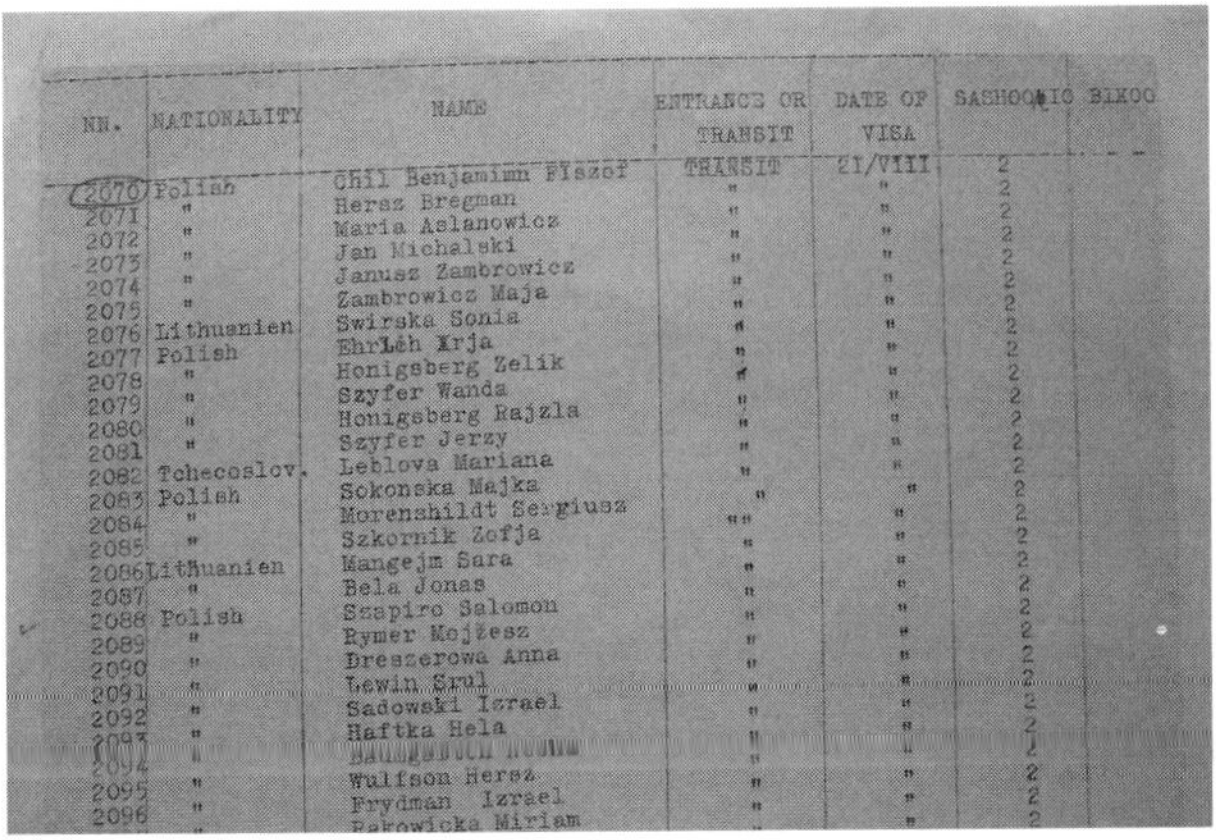

NN.	NATIONALITY	NAME	ENTRANCE OR TRANSIT	DATE OF VISA	SASHOQ IC	BIKOO
2070	Polish	Chil Benjamimn Fiszof	TRANSIT	21/VIII	2	
2071	"	Hersz Bregman	"	"	2	
2072	"	Maria Aslanowicz	"	"	2	
2073	"	Jan Michalski	"	"	2	
2074	"	Janusz Zambrowicz	"	"	2	
2075	"	Zambrowicz Maja	"	"	2	
2076	Lithuanien	Swirska Sonia	"	"	2	
2077	Polish	Ehrlêh Erja	"	"	2	
2078	"	Honigsberg Zelik	"	"	2	
2079	"	Szyfer Wanda	"	"	2	
2080	"	Honigsberg Rajzla	"	"	2	
2081	"	Szyfer Jerzy	"	"	2	
2082	Tchecoslov.	Leblova Mariana	"	"	2	
2083	Polish	Sokonska Majka	"	"	2	
2084	"	Morenshildt Sergiusz	"	"	2	
2085	"	Szkornik Zofja	"	"	2	
2086	Lithuanien	Mangejm Sara	"	"	2	
2087	"	Bela Jonas	"	"	2	
2088	Polish	Szapiro Salomon	"	"	2	
2089	"	Rymer Mojżesz	"	"	2	
2090	"	Dreszerowa Anna	"	"	2	
2091	"	Lewin Srul	"	"	2	
2092	"	Sadowski Izrael	"	"	2	
2093	"	[illegible]	"	"	2	
2094	"	Wulfson Hersz	"	"	2	
2095	"	Frydman Izrael	"	"	2	
2096	"	Rakowicka Miriam	"	"	2	

杉原リストで2070番だったフィショッフさん

でした。そこで、お祝いとお礼の意味でキタデさんに小切手を送りたいのでご住所を教えてほしいとのことです」

私は一瞬事情が呑み込めなかった。ようやくどういうことか分かった途端、私はオロオロ声になってしまった。フィショッフさんは、アメリカでの出版について力になれなかったことを気にしてくれているのかもしれなかった。

数日後、郵便受けに入っていたエアメールの封筒を手にして私は驚いた。ペラペラなのだ。開封しようとしたところ、封の部分が４分の一ほど口を開けている。心配になって胸をどきどきさせながら開いたところ、確かに１枚の小切手が入っていた。むきだしのままだ。私に宛てたメッセージの書面も何もない。

私は考え込んでしまった。フィショッフさんにとって、この程度の額の小切手は１枚の紙切れに過ぎないのだろうか？　いやいや、そうではない。形式ばったことはせずに、サラリと送るのがフィショッフさんの美意識なのだろう。

その夜、私は日本式に丁重な感謝の気持ちを込めてお礼のメールを送った。これに対する返事はただ一言、「喜んで（My pleasure）」。

余計な言葉は一切使わず、必要な単語だけ。これはフィショッフさんの流儀だが、私はその一言にフィショッフさんの諸々の気持ちが込められているのを感じた。

ところで、前述のシルビア・スモーラーさん、マーシャ・レオンさん同様、フィショッフさんも梶岡さんのドキュメンタリー制作に協力してくれた。杉原リストを片手に、フィショッフさんは雄弁だった。

「これは杉原リストの最終ページです。私の名前は最上段にあります。番号は２０７０番です。最終番号は２１３９番ですから、私は最後の最後だったのです。いかに幸運だったかお分かりでしょう（前ページの写真）」

「父は日本の天皇を信頼していました」とヤン・クラカウスキーさん

●ヤン・クラカウスキーさん

いよいよニューヨークでの最後の取材となった。約束の時間に遅れてはなるまいとかなり余裕を見てホテルを出たつもりが、やはり交通渋滞に巻き込まれてしまった。焦った様子の私を見てタクシーの運転手は快く携帯電話を貸してくれた。

「私のほうは問題ありません。どうぞ、慌てないでゆっくり来てください」

電話の主は優しそうだった。

結局15分ほどの遅刻となった。にも拘わらず、クラカウスキー夫妻はにこやかに迎えてくれた。イースト・リバーを見下ろす素晴らしい眺めの居間で面談が始まった。

「ソ連の領海を出たとき、乗船客はほとんど全員、甲板に出て一斉に『ハティクヴァ』を歌い出しました。今のイスラエル国歌です。それはもう本当に喜びの爆発でした。横にいた父は私の肩に手を置き、『もう大丈夫だ。これからは日本の天皇が私たちを守ってくれるだろう』と言いました。それを聞いて私はそれまでなにも知らなかった日本が急に身近に感じられ、天皇というのはそんなに偉大なのかと思いました」

「ウラジオストックに到着し、船に乗るまでは本当に心配でした。モスクワから列車に乗るにあたって、私たちはインツーリストからドルで正規の乗車券を購入してありました。ソ連はドルを非常に欲しがっていましたから、私たちは難民ではなく普通の旅行者として扱われ、乗務員の対応も比較的親切でした。しかし、シベリア鉄道は単線で、対向列車を通すために頻繁に停車しなければなりませんでした。結局、モスクワから二週間もかかりました。そんなうんざりするような列車の旅の後だっただけに、船に乗ったときは有頂天になりました。ですから、船は古くて臭く、床の上で雑魚寝をしなければなりませんでしたが、まったく苦痛を感じませんでした」

「しかし、妹が熱を出してしまいました。そこで、敦賀に上陸した際、ここで宿を取ることに決めました。父がどのようにして見つけてきたのかは分かりませんが、日本の旅館に泊まることになりました。畳の部屋の真ん中には火鉢があり、火が燃えていました。久しぶりに家の中の暖かい部屋で寝ることができたのです。そうです。それが、自由の地での最初の夜だったのです」

「ところが、その記念すべき一夜はなにか変わった雰囲気でした。旅館の従業員とは明らかに違う、キモノを着た厚化粧の女性が大勢いました。楽器の音や人の笑い声が聞こえてきました。お客のような男性の出入りが結構ありました。どうやら、そこは・・・」

と、そこでクラカウスキーさんははにかむように笑った。

「遊郭だったのですね・・・」と、私。

このとき、私はその「遊郭」を意味するつもりで、「brothel」という単語を使い、語彙の貧困さを露呈してしまった。

横に座っていた奥さんが思わずケラケラ笑い出し、ご主人に向かって言った。

「それって、house of ill repute のことね」

私には初めて聞く単語で、とっさには理解できなかった。

「つまり、〝評判の悪い家〟という意味なのですよ」

〈なるほど、〝評判の悪い家〟か。確かに、「遊郭」を指すにはピッタリの言葉だ！〉

私はいささか恥ずかしい思いをした。「brothel」は一般的には「売春宿」を意味し、あまりにも情緒に欠ける。私は思わぬところで英語の勉強をさせてもらった。

「あなた、随分早い時期に貴重な体験をしたのね」

アメリカ人特有のカラッとした奥さんのユーモアに私はすっかり魅せられてしまった。

ところで、この奥さん、実は「ナンシー・ハロー」の名前で二〇〇九年に開催された「第二五回つくば国際音楽祭」に出演したプロの歌手とのこと。7歳から大学時代までクラシック・ピアノを勉強し、その後パリに渡りマルス・クラブでも歌っていたという。道理でいつも笑顔を絶やさず、エンターテイナーそのものといった立ち振る舞いだった。

そのような華やかな世界に住んでいた人と、かつて難民として辛酸をなめてきた人の組み合わせに私はなにかそぐわないものを感じた。しかし、クラカウスキーさんの苦労ははるか昔のことなのだ。そのような感じ方をする私自身が正しくないのだと思った。

辞去する段になって、ささやかな手土産として持参した浮世絵のコースターを差し出しながら私は言った。

「いつかまたお邪魔することがあって、お茶をご馳走していただけるなら、これを使ってください」

我ながら図々しいことを言ったものだが、そんな言葉を喜んで受け止めてくれるクラカウスキー夫妻だった。

（その後）

実は、私はクラカウスキーさんには大いなる義理を欠いてしまっていた。その後何度もニューヨークに行っていながら、一度も夫妻を訪問していなかったのだ。ところが、その不義理の穴埋めをさせてもらえるチャンスに、思わぬところで出くわしたのである。

二〇一七年六月、ロンドンで二度目の講演を行なった際、聴きに来てくれた日本人女性ケイコさん（仮名）との雑談がきっかけとなった。

「私のアメリカ人の友人でミュージシャンがいるのですが、お父さんが杉原ビザで助けられたと彼は言っていました。名前はデーモン・クラカウスキーと言います」

〈ひょっとして！〉

もどかしい気持ちを抑えながらホテルに戻り、部屋に入ると真っ先にパソコンを開いた。

「デーモン・クラカウスキー」と入力すると果せるかな、何枚かの写真が現れた。ギターを抱えているその男性の顔を見て私は確信した。７年前に会ったクラカウスキーさんにそっくりなのだ。教えてくれたケイコさんには直ちに判明した結果を伝えた。

帰国後しばらくたってからケイコさんからメールが来た。

「デーモンは近く奥さんのナオミと二人で日本に演奏旅行に行くそうです。ご参考までにスケジュールをお知らせしておきます」

心地よい秋の気配が漂う一一月のある晩、私は渋谷のライブハウスにデーモンを訪ねた。

「私は二〇一〇年九月にニューヨークでご両親にお会いしました。その時のことをこの本で紹介していますので、後で読んでおいてください」

デーモンは私の突然の訪問を非常に喜んでくれ、もっといろいろ話し合いたいとのことで数日後に再会することになった。夜の便でアメリカに帰国するという一一月一三日の朝、宿泊ホテル近くのコーヒーショップで落ち合った。

「昨夜、あなたの本を興味深く読ませてもらいました。父のことで知らなかったことがたくさん書かれてあり、とても驚きました。父は当時11歳だったので、いろいろ覚えていたのでしょうね」

「そうです、祖父の名前はエドワード（Edward）で杉原リストでは２９６番です。祖

素晴らしい演奏を聞かせてくれたデーモンとナオミ

母ですか？　名前はアリス（Alice）といって、ちゃんとリストに載っています。ナンバー258です。番号が離れている理由は分かりませんが、祖母も律儀にビザを取得していたのですね。ポーランドの名前は、男は「i」で終わり、女は「a」で終わります。ですから、祖母の姓は「クラカウスカ（Krukowska）」となっています。父と叔母は子供だったので、祖父のビザでカバーされていたのだと思います」

デーモンの説明のお陰でそれまで漠然としか分からなかったことがはっきりした。

その時、奥さんのナオミが遅れてやってきた。お土産の買い物をしていたとのこと。彼女も歌手としてデーモンと共演している。デーモンはアコースティックギター、ナオミは電子ピアノを弾きながら歌うという役割だ。数日前の、英語と日本語を交えた歌詞で歌うナオミのパフォーマンスはひときわ印象的だった。

名残は尽きなかったが、空港に出発する前の2人を長く引き留めるわけにはいかなかった。

「次回日本に来られた時にはゆっくり会いましょう。お父さんとお母さんにくれぐれもよろしく伝えてください」

●リック・サロモンさん

シカゴから車で三十分ほど北に向かって走ったところにスコーキーという町がある。二〇〇七年、この町に新しいホロコースト博物館が開館した。正式名称は「イリノイ州ホロコースト博物館・教育センター」。

私はワシントンからシカゴに移動した翌日の九月一三日、ここを訪れ、今回のアメリカ取材旅行に際してなにかと世話になったリック・サロモンさんに会った。

経緯はこういうことだった。

この年（二〇一〇年）の二月、イスラエルの主要日刊紙「イディオット・アハロノット」にイスラエル大使館から流してもらった「大迫アルバム」に関する記事が掲載された。それを目にしたサロモンさんから私にメールが送られてきた。

「私の父はスギハラ・サバイバーの一人で、ウラジオストク、敦賀を経由してアメリカに渡ってきました。私はその後で生まれたのですが、父は私が２歳のとき他界しました。新聞記事から判断して、父も天草丸に乗っていたのだと思います。乗組員が書いた航海日誌が残っているそうですが、それを見せていただくことは可能でしょうか？」

どうやら大迫さんの回想記が航海日誌と報じられたようだった。その旨を説明したところ再度メールが来た。

「去年の三月に東京に行き、外務省の外交資料館を訪れてスギハラ・リストを見せてもらいました。そこには紛れもなく私の父の名前がありました。発給番号は２９９番でした。外交資料館を訪問した目的は、新しく開設するホロコースト博物館に展示するミスター・スギハラに関連する資料の貸し出しを依頼するためでした。私は準備委員としてスギハラ関連の資料集めに長年奔走してきました。どうか、近い将来、機会を見つけて私たちの博物館を訪れてください」

そのようなことから、初対面とは思えない親しみがあり、会話も弾んだ。

サロモン一家。左端がマーク君　写真提供：リック・サロモン

別れ際、サロモンさんは素晴らしいプレゼントを贈ってくれた。

「これは私の大学生の息子、マーク（Mark）が書いたエッセイで、賞をもらいました。よかったら読んでやってください」

少し長くなるが、一部を割愛して紹介したい。

『一つの命を救うことは人類を救うことである　―タルムード』

私の人生は一九八九年三月二四日に始まったが、私の物語はそれより50年前、ナチスの軍隊に囲まれ国境を閉鎖されて戦火でズタズタにされたポーランドで始まる。何世代にもわたって伝えられてきた私の先祖たちの物語は今や私の物語の一部になっている。その主な登場人物はホロコーストを生き延びたポーランド系ユダヤ人のバーナード・サロモン、私の祖父である。もう一人は、私の家族にはまったく関係の無い日本人外交官、チウネ・スギハラである。私の祖父の人生行路が現代のオデッセイである一方、ミスター・スギハラは私の考えの及ばない形で影響を与えてくれた。多くの人々が自分たちの周りの残虐性に背を向けたとき、リトアニアの日本領事は自分の良心に耳を傾けることによって信じられないことを成し遂げた。

自分の両親をナチスの侵攻から安全な場所に移すことに失敗した後、私の祖父はポーランドのムラヴァからリトアニアのカウナスまでの１７０マイルの距離を単独、徒歩で逃げなければならなかった。そこは有刺鉄線の張り巡らされた土地だったのである。祖父はその逃避行の話を十分に語ることなく、私の父が２歳になる前に他界した。一九五五年のことであった。

難民にとって状況がさらに絶望的になったとき、スギハラは私の祖父の弟を含む代表団にカウナスの領事館で会ってくれた。群衆の顔を一つ一つ見ながら、スギハラは勇気ある行動を取った。本国政府の命令に背き、家族と自分自身の身の危険を顧みず、一九四〇年七月三十日に私の祖父に２９９番目のビザを発給してくれた。それはシベリア鉄道及び海路、日本への安全な通行を可能にしてくれた。祖父はその後、上海、次いでインドのカルカッタへ渡った。結局、スギハラは二一三九件のビザを発給してユダヤ人をホロコーストから救ってくれた。この人物の行動が無ければ、私の祖父は強制収容所で命を落としたであろうし、父や妹もこの世に存在していなかったであろう。後の世代も含めるとスギハラは30万人の命を救ったことになると言われる。しかし、その行為の結果として彼は外交官の身分を損なうことになり、また、ある一時期、東京で窮乏生活を余儀なくされることになった。

スギハラの行為は私にどのような影響を与えたのだろうか?彼は、正義のためには正当でない法律は時には破らなければならないし、差別を助長するような公的な政策とは果敢に闘わなければならないことを教えてくれた。人間は実際に他人にできないことを実行できることを彼は示してくれた。民族間または人種間の憎悪はどんなものでも小さ過ぎることはなく、また無視することは出来ない。遊園地でガキ大将が他の生徒をいじめる場合でも、教室で勉強の遅れた子供を馬鹿にしたりする無神経さがまかり通る場合でも、競技場でマイノリティーの選手に対して侮蔑的な言葉が投げかけられる場合でも、我々は傍観者になりたいと思う気持ちと闘わなければならない。私たちは常にホロコーストの広範な教訓を思い起こしながら、あらゆる形の憎悪と闘い、偏見の持つ怖さを教え、民族間の理解を深めるために態度を鮮明にしなければならない。（後　略）」

このエッセイは、杉原千畝によって救われた一つの命が次の命に引き継がれ、さらにそれを受け継いだ命から生まれたものである。一人のスギハラ・サバイバーの孫が父親から聞かされた祖父のたどった苦難の足跡に寄せる思いが胸を打つ。

（その後）

驚いたことに、このエッセイが予期しない展開を見せることになった。二〇一七年六月、愛知県教育委員会から電話があった。趣旨はかいつまんで言うとこういうことだった。

愛知県では来年、名古屋にある杉原千畝の母校、旧制愛知県立第五中学校、現・瑞陵高等学校に杉原の顕彰施設を造成する計画があり、そこの一角にマーク・サロモンさんのエッセイの文章を掲示したい。ついては了解を得たいので、先方との仲介をお願いできないだろうか。

直ちに父親のリック・サロモン氏に打診したところ、大喜びでマーク君の承諾を取り付けてくれ、その後は教育委員会と本人との間で直接話を進めてもらうことになった。

瑞陵高校の杉原千畝顕彰施設
写真提供：愛知県教育委員会

準備は着々と進み、除幕の式典は一〇月一二日に挙行されることになった。教育委員会ではこれにマーク君を招待したいと申し出たところ、ちょうど彼の結婚と重なり、当日はハネムーンに出かけていて参加できないとのこと。双方にとって残念なことになった。

しかし、自分に命を繋いでくれた祖父の話しが遠く離れた日本の名古屋で披露され、その日に新しい人生をスタートさせるとは、なんと素晴らしいことだろうか。

子煩悩のリック・サロモン氏からの連絡では、マーク君はニューヨークの法律事務所で契約違反、有価証券詐欺など複雑な商業紛争や集団訴訟を担当し、将来を嘱望される若手弁護士として活躍している由。

これぞ、シルビア・スモーラーさんが言った「バタフライ効果」の一つと言えるのではないだろうか。

●レオ・メラメドさん

いよいよ最後の面談となった。しかも、相手は「金融先物市場の父」と呼ばれるアメリカでも有数の実力者だ。事情を知る人から「普通ならなかなか会ってもらえない大物だそうですよ」と聞かされていた。そう言われるとますます会いたくなるのが人情というもの。

〈そうだっ、イスラエル大使館だ！〉と私はあることに気が付き、それを実行した。

「ミスター・メラメドからお返事がありま

好々爺の趣があったレオ・メラメドさん

した。喜んでお会いしたいとのことです。九月一四日の午後3時15分に事務所でお待ちくださるそうです」

イスラエル大使館のミハル・タル書記官からのメールが目に飛び込んできた。〝駄目もとで〟とはよく言われることだが、まさにそれだった。それにしても「3時15分」とはいかにも分刻みのスケジュールの様子が窺え、早や緊張感に包まれた。

さて、当日——。

慎重を期して2時30分には目的地に到着し、ロビーで十分に呼吸を整えた後、3時過ぎに受付嬢の前に立った。約束の3時15分になったところで秘書嬢が出てきて、もうしばらくお待ちください、とのこと。待つこと約15分。そのとき、大変お待たせしました、とご当人の登場。

威圧感に圧倒されないかと覚悟していた私はやや拍子抜けがした。アメリカの金融界を動かしていると言われる大物も今や日本流に言うと〝喜寿〟を迎え、枯淡の境地を迎えつつあるのかもしれない。目の前のメラメドさんは、どちらかと言うと好々爺(こうこうや)の趣があった。

「ニューヨークのマーシャから電話がありましてね、あなたと会った話をしてくれました。そうなんですよ、彼女とは幼馴染でしてねぇ。

ところで、今回のアメリカ訪問の目的は我々が乗った天草丸に関連した人探しとか・・・。どれどれ、これがその人たちの写真ですか・・・。いやぁー、まったく心当たりはありませんね。なにしろ、あの船に乗り込んだときは、真っ暗でしてね。一番下の階のだだっ広い大部屋に詰め込まれましたよ。ベッドはもちろん、マットレスも無い床の上に寝かされ、寒いものだから私は母にしっかりと抱かれて眠りました」

「ところが、海は大荒れで、船は揺れに揺れました。大半の人はバケツを持って甲板に上がって行きましたね。それでも、臭いニオイが部屋に充満して、耐え切れませんでしたよ。

ま、それはともかく、私たちはあの船のお陰で無事に日本に逃げて来られたのです。さらに元をたどれば、それはなんと言ってもミスター・スギハラのビザのお陰ですね。そして、日本という国に助けてもらった。それから、今あなたの話を聞いて、日本の旅行会社にも助けてもらったことを初めて知った。あなたの昔のボスの、オー・・・、そうそう、そのオーサコさんにもお世話になったようだが、心から感謝しております」

「われわれの天草丸が敦賀港に近づくと、雪に覆われた周囲の山々が眼前に迫ってきましてね、実にきれいな景色でした。冬だと言うのにとても暖かく感じました。それもそのはずです、われわれは零下何十度という極寒のシベリアからやって来たのですからね。

上陸して見た敦賀の町はまるで箱庭のようでしたね。家々はほとんどが木造で、家の中には紙でできたようなドアも見えました。人々は麦わら帽子をかぶり、雪かきをしていたようです。私が抱いた印象はとても素朴で、親切そうな人たちでした。それに、聞こえてくる言葉はまるで別世界のもので、本当に異国に来たなぁという感じでした」

「そこから神戸に行きました。ここで4カ月ほど滞在したので、神戸にはいろいろ思い出が残っています。ですが、実を言うと神戸滞在はそれほどのんびりしたものではなく、我が家にとっては切羽詰ったものだったのです。と言うのは、我が家はアメリカ入国のビザを持っていなかったのです。それを申請するには、神戸のアメリカ総領事館よりも東京のアメリカ大使館のほうがいいということを聞いたので、父は頻繁に東京に行っていました。それでも心配だと言うので、父は友人と共同で東京にアパートを借り、大使館詣でをしました。神戸と東京の二重生活で父も大変だったと思います」

「結局、きわどいところで行ったり来たりの生活でビザを手にすることが出来、私たち一家は一九四一年四月初旬、晴れて横浜港を後にしました。乗った船は大型の貨客船で「平安丸」と言い、天草丸とは雲泥の差でした。

２週間の太平洋上の航海は快適そのものだった。何といっても食べる心配はいらない。これは食べ盛りの子供にとっては有難かったですね。途中で私と同じ年頃の少年と出会い、いいチェス仲間となりましてね。彼はインドから来たといい、ヒンズー語を話し、私はポーランド語とイディッシュ語を話し、お互いに言葉は通じなくても心は通い合っていました」

スケールの大きな冒険話を聞くように、私はメラメドさんの話に引き込まれていたが、時間の経過が気になり、腕時計を見てハッとなった。針はすでに４時半を指していた。秘書嬢から、私の〝持ち時間〟は約30分と言われていたからだ。

そろそろ切り上げますとの意思表示の意味から、私はこれだけは伝えておきたいと事前に考えていたことを言った。

「私の取り組みは、杉原千畝さんのあの偉大な人道的行為を、富や名声とは無縁の世界で黙々と支えた人たちにスポットライトを当てたいとの気持ちから始まったものです。そのことをユダヤ人社会の人々にも知っていただきたいのです」

面談中、訥々とした私の英語にも終始穏やかな表情を浮かべ、丁寧に話してくれたメラメドさんの最後の言葉は私にとってなによりの激励だった。

「それは、その通りだね。いやいや、遠いところをよく来てくださった」

明くる二〇一一年四月三日、時事通信はメラメド氏が東日本大震災に際し「日本は今の苦難を乗り越えると確信している」とエールを送ったことを報じた。

（その後）

私が前著の英語版の出版で苦労していたところ、さる知人から電話をもらった。

「昨日、アメリカから帰ってきました。シカゴでメラメドさんに会った際、北出さんの本の英語版はどうなったか心配されていました。出版社に心当たりがあるとのことでしたので、秘書に連絡してみてはどうですか」

〈あのメラメドさんが！〉

私は感激で胸が熱くなった。直ちに秘書にメールを送ったところ、折り返しニューヨークのさる出版社の担当者を知らせて来てくれた。間髪を入れず、その担当者に英訳文を送った。

「原稿を読ませていただいたが、わが社は経済が専門なので、誠に遺憾ながらご要望に沿えないことをご了解いただきたい」

〈そりゃそうだろう、村上春樹ならともかく・・・〉

束の間の夢を見させてもらったメラメドさんに私は感謝した。

紆余曲折はあったが、二〇一四年六月に国内の「朝文社」という出版社から「Visas of Life and the Epic Journey」のタイトルで出版の運びとなった。

ちょうどそのころ、メラメドさんの訪日の報がもたらされた。

七月一日、メラメドさんは日本外国特派員協会でスピーチを行なった。私もその時のランチョンに招かれ、４年ぶりの再会を果たすことができた。運よく英語版が完成したばかりだったので、手渡すことが出来たのは幸いだった。

実は、この日、二〇一四年七月一日という日は今後の日本の命運を左右しかねない重大な日だった。というのは、政府は臨時閣議を開いて集団的自衛権の行使を容認したのだった。その臨時閣議の直前にメラメドさんは安倍首相を官邸に表敬したのである。官邸側としてはスケジュールを変更したいところだったのかもしれないが、予定通り受け入れたところにメラメドさんの影響力の大きさが窺えるというものである。

この時の訪日でメラメドさんは敦賀を訪問したが、それは実に73年ぶりの〝里帰り〟であった。その模様を福井テレビがドキュメンタリーに収めているが、天草丸が到着した敦賀港を前にメラメドさんの胸中はいかばかりだっただろうか。

メラメドさん

さらに、3年後の二〇一七年一一月、メラメドさんは秋の叙勲で旭日重光章を受章した。

今年92歳になったメラメドさんであるが、私がインタビューさせてもらった杉原サバイバーが一人去り、二人去って行くのを見るにつけ、これからもますますお元気で活躍してもらいたいと願わずにはいられない。

第4章

身元が判明したアルバムの人々

（その一）

「北出さん、7人のうちの一人が判明しましたよ！」

二〇一四年四月八日、カナダのバンクーバー近郊に住む高橋文さんから送られてきたメールに私の眼はくぎ付けになった。高橋さんはカナダ在住の杉原サバイバーの追跡調査を行なっているジャーナリストで、私とはいわば〝同志〟の間柄の人である。

彼女の知り合いにモントリオール在住の女性写真家がいる。ジュディスという。彼女の両親はポーランド出身のユダヤ人で、やはり杉原ビザに助けられた。

ソニア

母親は5人姉妹の長女で、ポーランドからリトアニアに逃げ出してきたとき妊娠していた。そこで、ゾシアという名の一番下の妹が同行してきた。ゾシアは事情があって姉夫婦とは別行動となり、遅れて日本にやって来た。幸い、アメリカのビザを手に入れることができ、ついに自由の国に到達することができた。

さて、この年の2月、ジュディスさんはイスラエルのヤドバシェム（ホロコースト博物館）のホームページの中で、偶然に「大迫アルバム」の7人の写真を見つけた。それは、私が数年前に駐日イスラエル大使館を通じて提供し、情報公開を依頼してあったものだ。

7人のうちの一人の写真を見て、「これは、私の叔母に間違いない！」と直感したジュディスさんはニューヨーク在住の従姉のデボラさん（ゾシアの長女）に知らせたところ、「母に間違いないっ！」となった。それは、大迫アルバムの下段左から2番目の、私が最も心を揺さぶられたあの女性だった。

私が大迫さんからアルバムを見せてもらって16年、本を書くための調査を始めて5年、それよりもなによりも大迫さんがその写真を逃避行中の女性から手渡されて73年の歳月が流れていた。

早速、私とデボラさんの間でメールの交換が始まった。それによると――、「ロズィア（Rosia）」と読めた彼女の名前は、実は「ゾシア（Zosia）」だった。アメリカに渡って来た後、やはりドイツから追われてきたユダヤ人男性と結婚し、「ソニア・リード（Sonia Reed）」となった。当時のユダヤ難民の人々は、苦難の逃避行の末、ようやくの思いでアメリカにたどり着き、新天地で生きていくために新しい名前を持った。

一九二三年一一月五日にポーランドのウッジ（Lodz）市で出生。一九四一年初頭に福井県敦賀に上陸し、四月十日に日本郵船の八幡丸で横浜を出港した。一九四六年六月にカート・リード（Kurt Reed）と結婚し、一九五一年九月に長女のデボラ（Deborah）、五四年五月に長男のデイビッド（David）、五八年一二月に次女のシェリー（Shelley）が誕生した。

生活が安定した後は、夫と二人で２回も日本を訪れるなど後半生は幸せだった。一九九七年九月八日死去（享年74）。

以下、３人の子供を代表してデボラさんから私宛に送られてきた、写真を見たときの感想を紹介したい。


両親は当初、ニューヨークに住み、母は衣類の仕事に就きながら縫製と英語を学び、その後数年間は小さな衣料品店を営んでいました。子供を出産した後、近郊のロングアイランド（Long Island）に移り、父は板金製造の仕事を始めました。母はそれの工場経営を手伝いました。仕事柄、母はエナメルのアーティストとなり、芸術、音楽、演劇の愛好者でした。両親はユダヤ人としてユダヤ教育に熱心で、多くの友人や米国内、カナダ、イスラエル、メキシコの親戚とも親しくしていました。

両親の事業は小規模でしたが、主に日本の製品に投資を行ない、かなりの成功を収めたようでした。日本には２回旅行しており、日本の文化を愛していました。母は生涯を通じて、戦争（第二次世界大戦）で家族を亡くしたことに心を痛めており、われわれにはそのことを詳しくは語りませんでした。

今回、母の写真の存在を知らされ、私たち３人は非常に驚き、興奮しました。この調査を行なってくださった方々に大変感謝しています。と同時に、母やその他の多くの難民を助けてくださった人道的な人々の存在を知らせていただいたことに対しても深く感謝しています。私たちは写真を見て、すぐ母であることが分かり言い知れない感動を覚えました。当時、母がどのような人生を送っていたのかはほとんど知りませんが、この写真によって当時の様子が偲ばれる気がします。

弟と妹は母がヨーロッパからの逃避旅行については何も語らなかったことを覚えていますが、私は母が日本人に非常に親切にされたと聞かされていました。

この一連の展開にはなにか不思議な力が働いているように思えてならなかった私は、写真は子供たちに戻してあげるべきではと考えるようになり、その機会を探っていた。もちろん、大迫さんのご長女の同意を得た上のことである。

幸運なことに、その機会は意外と早くやってきた。ゾシアの身元判明の知らせがもたらされてから7カ月後の一一月二四日、在ニューヨーク日本総領事館のご好意で、写真の返還セレモニーが総領事公邸で盛大に執り行なわれた。会場にはデボラさんの弟妹とその家族、さらには従妹のジュディスさんもモントリオールから娘連れで駆けつけてくれた。ユダヤの人々がいかに家族の絆を大切にしているかを改めて知らされる場面だった。

ソニアの３人の子供たちと（2014年11月）

「私の母が大迫さんに残したメッセージは、〃私を思い出してください〃でした。その母の望みは叶えられました。彼女は生き残ることができただけでなく、確かに覚えてもらっていたのです。と同時に、困難の中にあった私たちの同胞に向けられた日本の人々の親切もまた記憶されていたのです」

デボラさんの謝辞は会場を感動の渦に巻き込んだ。

まさに大河ドラマを観ているようで、70年余を経た後の身元判明に、私はしばらくの間感動の余韻に浸っていた。こうなると欲が出てくるのが人情というもので、あと一人か二人くらい見つからないだろうかとの想いが募って来た。

そして、それが現実となったのである。

戦後70年を迎えた二〇一五年、世の中は戦争当時の話題にあふれていた。それに呼応するかのように、七月に一人、八月にまた一人、九月には相次いで二人の身元が判明した。信じられない気持ちだった。

（その一）

まず最初は、ドイツ語のメッセージを残した女性。正式の名前は「アントニーナ・アルツューラー（Antonina Altszuler）」であることが分かった。一九一九年にポーランド南

アントニーナ

部のカルヴァリア・ゼブジドフスカという町で出生。敦賀に上陸した後、神戸から上海に移動し、一九四九年になってようやく渡米。結婚して名前は「アントニーナ・バッブ（Antonina Babb）となった。しかし、結婚したものの夫は数年後に死亡。最終的にはカリフォルニアに移り、カリフォルニア大学ロサンゼルス校（ＵＣＬＡ）の図書館員として38年間勤め、一九九四年に75歳で他界した。その際、遺産60万ドルを同図書館に寄贈。子供がいなかったため身寄りもなく、晩年の詳しい消息が掴めていない。

前出のソニア（こう呼ばせてもらう）は家族に恵まれ幸せな後半生を送ったが、このアントニーナ（同）のほうはなにかしら不幸の影に覆われているように感じられてならなかった。

二〇一六年六月、私はロサンゼルスを訪問した機会にＵＣＬＡの図書館を訪れた。素晴

らしい銀髪の館長のヴィッキー・スティーリーさんはにこやかに迎えてくれた。驚いたことに――、

「私は昔、短い期間でしたが、アントニーナと一緒に図書館で勤務していました。あなたからのご依頼で当時の写真や資料を探したのですが、残念ながら何も見つかりませんでした。彼女はちょっと変わっていて、言動が男っぽく周囲ともうまく行かず、いつも孤独でした」

私はその前日、それまでの調査からアントニーナの晩年、唯一付き合いのあった女性とコンタクトが取れ、面会を申し入れたのだが老齢を理由に断られた。ただ、その際、その女性はアントニーナのお墓の所在地を教えてくれた。しかし、日本への帰国を翌日に控え、私自身がお墓に行くことは無理だった。

「えっ、アントニーナのお墓の情報をお持ちなんですか！　では、後日誰かに写真を撮りに行ってもらいましょう」

ヴィッキーさんはあまり収穫の無かった私に同情的で、あくまでも親切だった。

日本に帰国した数日後、早くも彼女からメールが送られてきた。

UCLA図書館を訪問。ヴィッキー・スティーリーさんと（2016年）

アントニーナの墓石　スティーリーさん撮影

「昨日、私自身がお墓に行って写真を撮ってきたので、お送りします。Holly Cross というキリスト教徒の墓地で、彼女の墓石にも十字架の彫刻が施されていました。ユダヤ人の彼女がなぜクリスチャンとして埋葬されたのか不思議です。写真からもお分かりになるように、墓石も一部欠けていて手入れもされていないようでした。これまで私以外に訪れた人もあまりいなかったのではないでしょうか」

迫害からの逃避という苦難の前半生、そして一人の身寄りもいない孤独の後半生を送ったアントニーナ。その彼女は一九四一年三月に天草丸の船上で大迫さんに「親愛なる大迫さんへ」と記した自分の写真を手渡していた。それが、彼女の人生において希望と幸せを感じたわずかな時間だったのかもしれない。

（その三）

次は、ブルガリア語の女性。写真の表面に印字されていた「ソフィア」を示すキリル文字から、ブルガリア出身であろうとの推測は当たっていた。幸いなことに、アメリカに長女が住んでいることが分かり、早速連絡を取った。ところが――、

「私はいいのですが、弟と妹が母のことは絶対に公表しないでほしいと言っています。もし公になった場合、自分たちが傷つくことになるからと主張するのです。あなたのご希望に沿えずに申し訳ありませんが、ご理解ください」

前出のソニアの時のように、てっきり喜ばれるものとばかり思い込んでいた私は頭から冷水を浴びせられた思いだった。しかし、冷静に考えてみると、誰しも他人には触れられたくない心の傷があるものだということに気付かされた。

それまで自分は少しいい気になっていたのではと反省の日々を送っていたところ、長女

から大きな荷物が届いた。中を開いてみると、ペーパーバック3冊とやや古びたハードカバー2冊が入っていた。前者は長女自身の著作で、彼女はある方面の社会活動をしており、3冊の本は彼女の活動に関連するものだった。そして、後者は彼女の母親、つまり写真の女性本人の著作で、内容はある難病との闘いの記録といったものだった。

私はおおよその事情が理解できた。

そして数週間後、私は長女とニューヨークで初対面した。住んでいるミシガン州の町から夫と二人で運転を交代しながら会いに来てくれたのだ。落ち合ったのは、ブルックリンのとあるレストランで、その名も「シャローム ジャパン（Shalom Japan）」。ユダヤ人の夫妻と日本人の私が会食するのにふさわしい場所だった。

長女の心づかいのお陰で、私の人探しの「遥かなる旅路」からまた一つ忘れられない経験を得させてもらった。

（その四）

さて、いよいよただ一人の男性の登場である。

写真の裏面の綺麗なフランス語のメッセージから、てっきりフランス語圏出身の人物だとばかり思っていたが、彼もブルガリア出身だった。一八九六年生まれというから、アルバムの7人の中で彼一人が19世紀生まれということになる。一九四一年二月一日にソフィアでアメリカへの移民ビザを取得し、三月四日に大迫さんが乗船している天草丸で敦賀に上陸した。そして、横浜から日本郵船の日枝丸に乗って早くも三月一六日にシアトルに到着している。このことから、彼は明らかに杉原サバイバーではないことが分かる。元の名前は「Nissim Segaloff」であったが、アメリカに移ってきたのち「Nicholas Sargent」に変えている。

ニッシム改めニッキー

アメリカの代表的なスポーツ週刊誌「Sports Illustrated」は、彼はバックギャモン（〝西洋すごろく〟と呼ばれるゲーム）の世界的名手で、一九六四年にグランド・バハマ島で行なわれた第1回国際バックギャモン大会で優勝こそ逃したものの、最後まで勝ち残ったと報じている。にもかかわらず、その後の足取りが不明なのはきわめて不思議である。前述の名前を変えた事実と考え合わせ、なにか謎めいたものを感じさせる。フランス語と英語も堪能であったらしいことから、CIAのエージェントだったのではないかとの噂も一部でささやかれていたらしい。

ところが、その後の調査で、一九七九年一月二七日付のイギリスの週刊誌「The Spectator」に次のような記事が掲載されていることが判明した。

「世紀が変わる少し前、ブルガリアとセルビアの中間にある町で生まれたニコラス・サージェント氏（旧姓セガロフ）は最初のバックギャモンのハスラー（著者注：ここではペテン師といった意味）と言われ、ヨーロッパでグッゲンハイム氏（著者注：財閥のグッゲンハイム家の一員）から金を巻き上げた後、タイタニック号に同氏と一緒に乗船した。グッゲンハイム氏は船と共に沈んだが、サージェント氏は生き残った。彼は今でもグシュタード（著者注：スイスの高級リゾート）の名門ホテルのパレスホテルにハスラーとして出入りしているが、最近は若手のプレーヤーの台頭で行き場を失っている模様」

一読して私は仰天してしまった。なんと、タイタニック号事件の生き残りというではないか。にわかに信じられない。というのは、一八九六年生まれの彼が一九一二年のタイタニック号事件に遭遇したのであれば、彼が16歳の時だ。しかし、あり得ない話でもない。

早速、インターネットでタイタニック号の乗船者名簿をチェックした。すると、一等船客の中に紛れもなく「GUGGENHEIM, Mr Benjamin」の名前があった。ベンジャミンは、グッゲンハイム財閥の創始者、マイヤー・グッゲンハイムの六男である。タイタニック号と運命を共にした人物として知られている。

次に、「Segaloff」の名前をチェックした。一等船客はもちろんのこと、二等船客、三等船客の中にも見当たらない。さらに検索を続けていると、「生存者」に特化したリストが別にあった。少し胸をドキドキさせながらチェックを進めてみたが、最後までそれらしい名前には行き当らなかった。

〈当然のことだろう！もし、彼が本当に乗船していたとしても偽名を使うなど、通常の手段で乗り込んでいたとは考えにくい。週刊誌の記事には「グッゲンハイムから金を巻き上げて・・・」とある。ひょっとしたら、グッゲンハイムから航海中のゲームのお相手に誘われたのかもしれない・・・〉

私はそんな想像の世界に引き込まれていた。

そうこうしているうちに、ちょっとした展開があった。

時は二〇一六年三月、舞台はニューヨークのマンハッタン中心部にあるユニオンスクエア広場。私のニューヨークにおける定宿からはすぐ近くなので、よく散歩に出かける場所だ。その時、広場の一角でバックギャモンに興じている一組に出会った。ゲームそのものは皆目分からないのだが、Segaloff との関連で興味があったので少し眺めさせてもらうことにした。

「アンタ、ゲームできるの?」

「いや、ちょっと関心があるので・・・」

「アンタ、日本人?」

「えぇ、そうですが・・・」

「じゃあ、モチィを知ってる? 知らないの! 日本人の世界チャンピオンだよ。俺たちバックギャモンの仲間だから、お互いによく知っている。彼にアンタのことを言っておくから、その Nicholas Sargent のことを尋ねてみたらどう? 俺の名前はジュニア」

私は半信半疑だった。「モチィ」のスペルは Mochy とのこと。世界チャンピオンというからにはインターネットで検索すれば何か出てくるだろうと思い、試しに「Mochy backgammon」と打ち込んでみた。確かにあった! バックギャモンの世界ではかなりの人物のようだ。

六月、まったく期待していないことだったが、そのモチィさんからメールが来た。

「こんにちは。初めまして、バックギャモンのプロをしております、望月正行と申します。先日、ニューヨークの友人のジュニアから電話がありまして・・・」

丁重な文面に私は恐縮してしまった。本来なら、私から連絡を取るべきだったのだ。早速返事を書き、いきさつを理解してもらうために拙著を送っておいた。

それからは何の進展もなく2年が経った。〝果報は寝て待て〟とはこのようなことを言うのだろう。

「こんにちは。二〇一六年にご連絡いただいた望月です。以前にお送りいただいたご著書を読み直しまして、Nicholas Sargent を知っている人がいないか当たってみたところ、有力な情報が得られましたので、大変遅ればせながらお知らせします。

ジャン＝ノエル・グリンダ（Jean-Noel Grinda）という人物をご紹介しますので、連絡を取ってみてください。彼は、一九九七年のバックギャモン世界チャンピオンであると同時に、一九五〇年代にデ杯のフランス代表を務めた往年の名テニス選手で、かつて実際に Nicholas Sargent とプレイをしたようです。私とは親しい間柄ですので、連絡しておきます」

ジャン＝ノエル・グリンダ氏（往年の名テニスプレーヤー）

直ちに、望月さんから教わったメールアドレス宛にメールを送ったところ、簡単だが好意的な返事が返って来た。

「あなたが送ってくれた情報で、ニッキー（Nicholas Sargent の愛称。この後は私もそう呼ばせてもらう）について知らなかったことがいくつもありました。特に、彼が一八九六年生まれだったとは驚きでした。晩年はグシュタードのパレスホテルに出入りしており、警戒心が非常に強かったようです。他にもお話しできることがあると思うので、良ければ電話をください」

指定された時刻と番号にダイアルしたところ、相手はすぐに出てきた。メールの交換後だったので、自己紹介をする必要はなかった。望月さんからは、グリンダ氏はアメリカとヨーロッパ半々に住んでいると聞いていた。電話番号はヨーロッパらしかったので、どこに滞在中かを尋ねたところ、驚いたことにスイスのグシュタードとのこと。なんと、ニッ

ニッキーが出入りしていたパレスホテル

キーが晩年滞在していたところではないか！ 私はまさかと思ったが、では、パレスホテルですかと尋ねると、そうだとの答え。あまりの偶然に何か因縁めいたものを感じたが、しかし、それは私にとってのことだけで、考えてみるとグリンダ氏はもう以前からここを定宿にしているに違いない。そして、このホテルが両者の交わりの場だったのかもしれない。

グリンダ氏はニッキーについて以下のような話を語ってくれた。

「そうです。私がニッキーに初めて出会ったのはパレスホテルでした。一九七三年か七四年のことだったと思います。ある日、ホテルのロビーで一人の老人が佇んでいるのを見かけました。バックギャモンのゲームの相手を物色しているようでした」

「ゲームが始まり、横で観戦していましたが、彼のマナーは決していいとは言えませんでした。イライラした態度を隠そうとせず、口汚い言葉を発したりしていました。賭ける金額もせいぜい5ドルか10ドル。そのようにして初心者を相手に小金をチマチマと稼いでいました。しかし、勝負はめっぽう強かったです」

「時々は相手になってもらいましたが、私の場合、彼が他の人とゲームをするのを観ていることの方が圧倒的に多かったです。そうして私はゲームを覚えて行きました。その意味では、彼は私の先生でした。しかし、お金を払って教わるということはありませんでした。なぜなら、彼は決してお金を受け取ろうとはしなかったからです」

「ある冬の夜のことでした。私が車を運転していた時、私の前をニッキーが歩いていました。自分のアパートに帰るところのようでした。道路が凍結していて、おぼつかない足取りだった彼は氷に足を取られ、転倒してしまいました。なかなか立ち上がれません。私は車を止めました。私の後ろの車が追い越そうとしました。私はニッキーが危ないと感じ、車から飛び出て、彼を助け起こしました。かなり負傷している様子でした。そこで、病院に連れて行こうとしたのですが、彼はかたくなに拒みました」

「それでも強引に病院に連れて行き、治療を受けさせました。彼がお金のないことを知っていましたから、治療費は私が出そうとしました。しかし、それも彼は拒否しました。そのように彼は誇りの高い人物でした」

「その後の彼のことですか？　詳しくは知りません。風の便りでは、最晩年は南仏のカンヌで亡くなったそうです。そこのカールトン・ホテルのコンシエルジュには一切の身の回り品が預けられてあるそうですが、真偽のほどは分かりません」

グリンダ氏の話からは、かつて世界のトップクラスの名プレーヤーだったニコラス・サージェントの落魄した姿が目に浮かんでくるようだった。

ところで、私は昨年（二〇一九年）三月五日、晩年のニッキーがハスラーとして出入りしていたと言われるパレスホテルを訪れた。スイスの高級リゾート、グシュタードを代表するホテルだけあって非常に威厳がある。事前に約束を取り付けてあった先代オーナーのエルンスト・シェルツ氏は温かく迎えてくれた。

「ここに出入りしていたニッキーを実際に見たことがあります。しかし、その程度で、深く接したわけではありません。今日、あなたが来られるというので、特別な人物に声をかけ、来てもらうことにしました」

誰だろうと訝しく思っているところに当の人物が現れた。シェルツ氏が続ける。

「ご紹介しましょう。当時のニッキーを取材したライターのタキ・テオドラコプロス氏です。初対面の方にとって彼の名前を覚えるのは難しいでしょうから、ミスター・タキで

左シェルツ氏（パレスホテルの先代オーナー）、右「タキ」氏

いいでしょう」

私は予想外の展開に驚いてしまった。「タキ」と言う名前に覚えがあったからだ。前出のイギリスの週刊誌「The Spectator」でニッキーの紹介記事を書いたその人なのだ。

「私が初めてニッキーに出会ったのは一九七〇年代、パリでだったと記憶しています。

ああ、あのタイタニック号事件のことですか？あれは、彼がそんなことを話していたので、私が少し脚色して書いたのかもしれないな・・・。いや、もう40年以上も前のことだから、詳しいことは忘れてしまいました」

なんのことはない、私はミスター・タキが暇つぶしに書いたらしい記事に踊らされていたようだった。成り行きによっては、カンヌのカールトン・ホテルにまで足を延ばそうと思っていたが、彼の〝告白〟を聞き、その気持ちは失せてしまった。

好奇心もほどほどに、という教訓をもらったパレスホテル訪問だった。

（その五）

連鎖反応的に身元が判明した４人の最後は、〝フィナーレ〟を飾るにふさわしい人物だった。あの美貌のノルウェー人女性である。幸い、ニューヨーク近郊に住む長女（リンダさんという）に連絡が取れた。

「あなたはなんと素晴らしい活動に取り組んでいるのでしょう。母のことに関して私が知っている限りのことはお話ししたいと思いますから、どうぞなんでもお尋ねください」

予想以上に好意的な返事に意を強くした私は、思い切ってリンダさんを訪ねることを決心し、一二月にニューヨークに飛んだ。

驚いたことに、ヴェラ・ハラングという名のノルウェー人女性はユダヤ人ではなかった。私が初めて大迫さんからアルバムを見せてもらった時、杉原千畝との連想で、アルバムの７人はいずれもユダヤ人だと思い込んでいた。

ヴェラ

では、彼女はなぜヨーロッパから逃げ出さなければならなかったのだろうか？
ホロコーストの犠牲者は、ユダヤ人であるがためにナチスの迫害を受け、強制収容所に送られて命を奪われたのだったが、逆に、ユダヤ人でないがために、ナチスの非人道的な政策の犠牲になった多くの人々がいたことを、私は不明にして知らなかった。
ヴェラさんは、まさに危機一髪のところでその犠牲から逃れることのできた稀有な一人だったのである。彼女は若いころ、ノルウェーの赤十字社で働いていた。その美貌はつとに評判だった。当時、イングリッド・バーグマンはすでに有名な女優だったが、彼女に匹敵するくらいの美貌の持ち主だったヴェラさんに映画界入りを勧める声があったが、一九四〇年四月にノルウェーがドイツに侵略されたため、その話は立ち消えになった。
愛国者だった彼女はドイツ軍に抵抗するため、地下組織に入ろうとした。そのころ、ノ

ノルウェー赤十字社時代のヴェラ（右から3人目）

ルウェーでは若い女性が頻繁にさらわれていた。ヴェラさんの母親は娘の身の安全を考え、彼女をアメリカに逃すことにした。

前述のナチスのもう一つの非人道政策とは「レーベンスボルン（生命の泉）計画」と呼ばれるもので、彼らは、金髪で青い目をした人間を優秀な民族とみなし、〝金髪碧眼〟の若い女性を誘拐し、強制的にナチスの親衛隊員との間に子供を作らせた。生まれてきた赤ん坊は、子供のいない親衛隊の家庭に引き取られ、ドイツ人として育てられた。ノルウェー国内には、そのようにして生まれてきた赤ん坊を一時的に世話をする「レーベンスボルン」の施設が多く存在した。

母親の勇気ある賢明な判断によって、危ういところでナチスの魔の手から逃れることができたヴェラさんが、日本の敦賀の地を経て無事にアメリカにわたり、人生を全うしたと

「レーベンスボルン」の施設

の話を聞きながら、私は「事実は小説より奇なり」を強く実感した。

特に、レーベンスボルン計画の話は衝撃的だった。

その計画に巻き込まれずに済んだ幸運なヴェラさんの話をもう少し続けたい。

リンダさんの説明によると、ヴェラさんは一九一七年、ノルウェーのドゥラメン（Drammen）という町の生まれで6人兄弟姉妹の末っ子。父は雑貨店を営んでいたが、彼女の幼少のころに他界。一九四〇年当時、赤十字社で働いていたが、四月のドイツによるノルウェー侵攻に伴い、レジスタンス運動に加わろうとした。しかし、その頃、国内ではドイツの親衛隊による若い女性の拉致事件が頻発。勇気ある母親が娘をアメリカに逃すことを決断したのは前述の通り。

そこで、スウェーデン出身の母親の指示に従い、ヴェラさんはまずはストックホルムに行き、一九四一年二月一日、同地のアメリカ大使館で移民ビザを取得。3日後の二月四日、

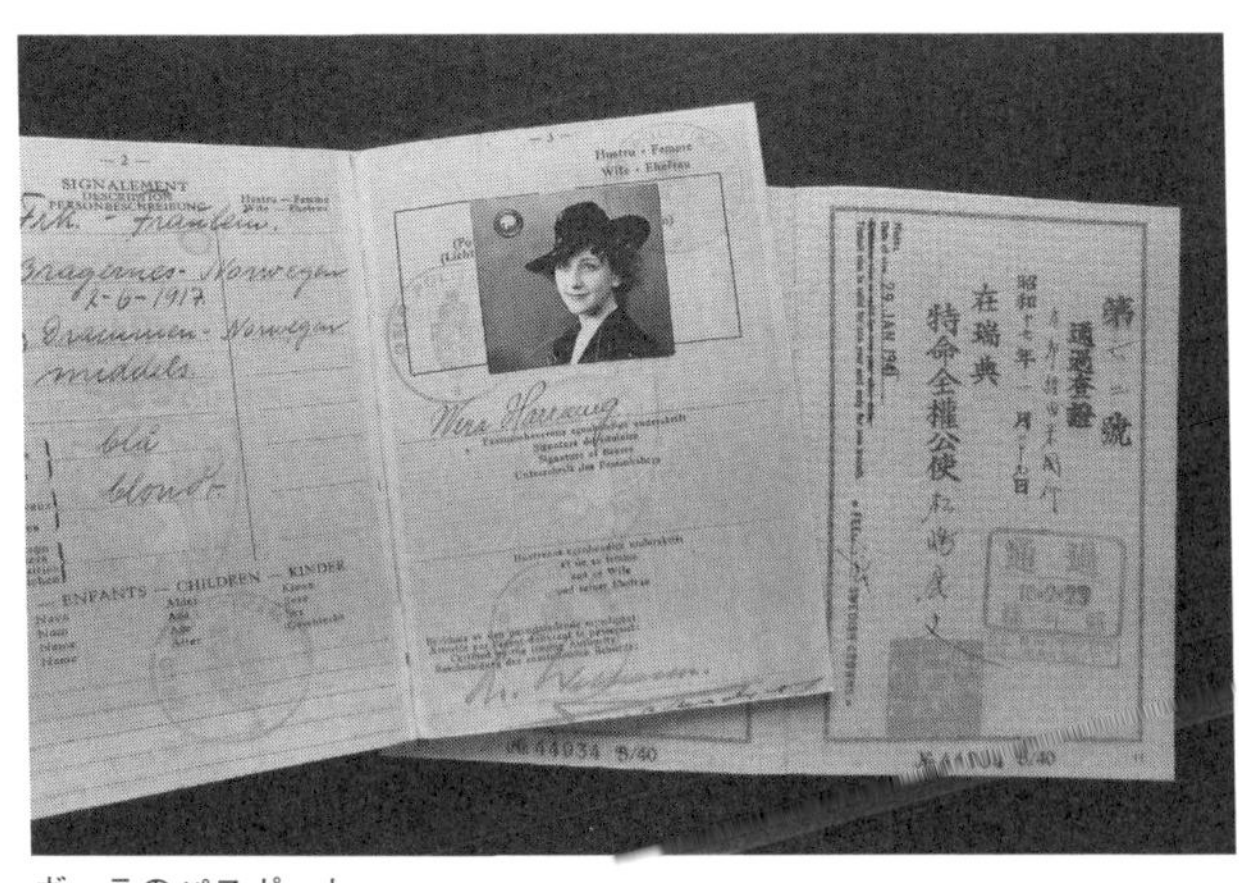

ヴェラのパスポート

日本大使館で通過ビザを取得した後、ソ連領事館に赴き同じく通過ビザを取得。二月一〇日、モスクワ市労働農民警察で2日間のモスクワ滞在を登録。その後シベリア鉄道に乗り、ウラジオストクで大迫さんが勤務する「天草丸」に乗船。真冬の厳しい日本海を渡り、二月二三日に福井県敦賀に上陸。三月六日、日本郵船の「龍田（たった）丸」にて横浜出港、三月二〇日、サンフランシスコに到着。米国移民ビザを取得してからわずか48日で最終目的地にたどり着いている点、よほど周到に準備された逃避行だったのだろう。

それ以上に驚かされるのは、当時シベリア横断鉄道は通常2週間前後を要したのだが、ヴェラさんの場合、最低の10日間ほどで通過している。そして、ウラジオストク〜敦賀間は平常時で2泊3日。よくぞ、モスクワ〜ウラジオストク〜敦賀を2週間足らずで駆け抜けることができたものだ。その行程を追うだけでハラハラする思いだが、その背景から、娘の安全を願う母親の必死の祈りが伝わってくるようである。

さて、自由の地、アメリカに到着したヴェラさんのその後は——。

サンフランシスコに到着した「龍田丸」船上で（1941年3月）

一九四二年、オーストリア出身のユダヤ人のエミル・クロンベルグ氏と結婚。一九四六年、ノルウェーに里帰り。一九四九年、リンダさんを出産。一九五一年、彼女とともに再びノルウェーに里帰り。一九七四年、エミル氏死去、享年72。ユダヤ人として苦難の道を歩んできたにちがいないエミル氏は15歳年下のヴェラさんを生涯愛していたという。

そして、ヴェラさんは三度祖国に帰ることなく、二〇〇一年に84歳の生涯を閉じた。最期まで慎み深い人柄だったという。

私が、「もし、あの時、ヴェフさんが映画界入りしていたら、きっとハリウッドの人気女優になっていたでしょうね」と言ったことに対し、リンダさんの答えは「さあ、どうだったでしょうね」と、母親に似てあくまでも謙虚だった。

日本に戻った私を追うようにヴェラさんからメールが来た。

「この間は十分な時間が無くてお話しできませんでしたが、実は一九八五年に私の家は火事で焼けてしまったのです。その時、母は真っ先に2階の寝室に飛び込み、いつも大切にしていた小箱だけを持って降り、難を逃れましたが、ほとんどの家財道具は焼失してしまいました。その小箱に、先日お見せした昔のわずかな写真と両親のパスポートだけが残っていたのです。

今になって思えば、あの時、母には予感があったのかもしれません。いつか、誰かが、昔の私を探しに訪ねて来てくれるかもしれない、と。本当によく来てくださいました。心からお礼を申し上げます」

文面からにじみ出てくるリンダさんの思いが伝わって来るようだった。

ウィーンにあったヴェラの夫エミルの実家。宝石店だった

（後日談）

二〇一七年七月一日、私はウィーン中心部のターボール通り（Taborstrasse）に面したとある建物の前に立っていた。一九三〇年代当時、この建物の1階に「クロンベルグ（Kronberg）商会」という名の宝石店があった。ヴェラさんの夫のエミル・クロンベルグ氏の実家である。リンダさんと面談したあの日、彼女が見せてくれた1枚の写真にじっと目を凝らしていた私はこう告げられた。

「これは、ウィーンにあった父の宝石店の写真です。“Kronberg”の看板が見えますね。一九三八年一一月九日に起きた「水晶の夜事件」で襲われ、メチャメチャに壊されたとのことです。父は幸い、この事件の前から外国に出ていたため、身体に危害を加えられることはありませんでした。ユダヤ人として、父の人生もやはり大変な苦難だったのだと思います」

もちろん、今は"Kronberg"の看板はなく、建物全体も建て替えられたものであろう。ところが、隣接する建物は外観こそ違っていたが、当時のままであることは明らかだった。この通りの商店の多くはユダヤ人の経営によるものだったという。「水晶の夜事件」の時は目を覆う惨劇が繰り広げられたに違いない。

そのような想像を巡らせていると、ふと、最近観たある映画のことが思い出された。二〇一五年に制作された『黄金のアデーレ』である。オーストリアが生んだ画家、グスタフ・クリムトの代表作である「アデーレ・ブロッホ＝バウアーの肖像Ⅰ」の奪還にまつわる実話に基づいている。主人公はオーストリア政府を相手取り訴訟を起こしたユダヤ人女性。彼女はウィーンのユダヤ人資産家の娘として生まれ、父親によって迫りくるナチスの迫害からアメリカに逃された。

まさに、ヴェラさんと夫のクロンベルグ氏が私の頭の中でオーバーラップした。

あの日、リンダさんからいろいろ話しを聞いた際、彼女は両親のパスポートを見せてくれた。ヴェラさんの行動について詳しく語ってもらえたのも、パスポートのお陰であった。

ここで、父親のクロンベルグ氏のパスポートに目を移してみよう。

発行日は一九四〇年九月五日となっている。その時点で、オーストリアはドイツに併合されていたため、表紙は「DEUTSCHES REICH（ドイツ国）」の文字と鷲とハーケンクロイツ（鉤十字）の紋章があしらわれており、いかにも威圧的である。さらに、表紙をめくると右の扉のページからは、あの忌まわしい朱色の「J」の文字が目に飛び込んでくる。ユダヤ民族にとっては屈辱と苦難の象徴である。

リンダさんの話が続く。

「宝石商だった父は、第二次世界大戦が始まる以前からノルウェーにやって来て、商店を営んでいた祖父とビジネスを行なっていたようで、その頃に私の母と出会ったそうです。母はその当時の父とのことはあまり語ってくれませんでしたが、ある時、何かのイベントがあり、それを一緒に見に行ったそうです。私の想像ですが、多分その時から父は母に好意を寄せ始めたのではないかと思います」

「その後、二人がどのようにしてアメリカに渡ってきたのかは、全く知りませんでした。ただ、父はその当時結婚していましたが、どうやら夫婦関係はうまく行っていなかったらしくアメリカに来てしばらくしてから離婚しています。そして、母と再婚することになりました」

「実は、私はこれまで父と母は別々にアメリカにやって来たのではないかと思っていま

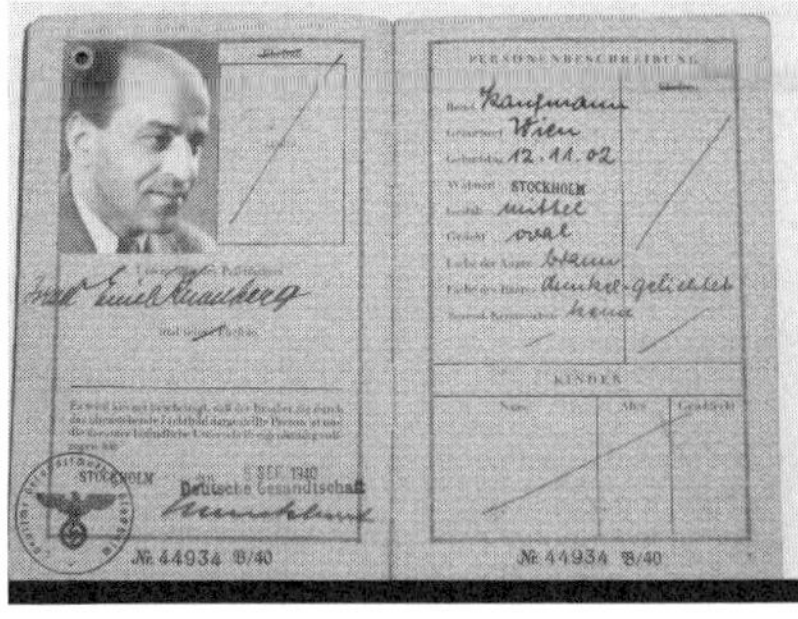

夫エミルのパスポート

したが、最近ある方の調査で二人は同じ船で日本の横浜からサンフランシスコに到着していることが分かりました。なんだか小説に出てきそうな話ですね（笑）」

　数奇な運命をたどったヴェラさんの守護神の役割を果たした夫君のパスポートから、その足取りを追ってみたい。

一九四一年一月二七日　在ストックホルム米国大使館にてアメリカ行きのビザを取得
（ヴェラさんの4日前）

一月二九日　在ストックホルム日本大使館にて日本通過ビザを取得。同日、ソ連代表部にてソ連入国ビザを取得（ヴェラさんの6日前）

二月　五日　在ストックホルムのスカンジナビア銀行で750米ドルを購入（＊注）

二月二三日　福井県敦賀にて日本入国（ヴェラさん同行））

三月　六日　日本郵船の「龍田丸」にて横浜出港（ヴェラさん同行）

三月二〇日　サンフランシスコに到着（ヴェラさん同行）

（＊注：当時の米ドルと日本円の為替レートは1ドル＝4・267円（『日本銀行百年史』）であったから、750ドルは3200円となる。当時の大卒公務員の初任給は75円ほどであったことから、750ドルは現在では約850万円になる）

ここで、お断りしておきたいが、私は興味本位からいろいろ詮索しているわけではない。運命に翻弄された一組の男女の苦難の歴史を記録に留めておきたいとの願いからである。

共にナチスの犠牲になるところだった二人が運命的な出会いを果たし、祖国を追われ、身を寄せ合いながら難民として日本の船に乗って敦賀に上陸し、そしてまた日本の船でア

アメリカ移住後のヴェラ＆エミル夫妻

メリカに逃げ延びた。

その意味では、日本の国が彼らを無事に自由の国に送り届けるのに大きな役割を果たしたと言えるのではないだろうか。

（付記）

本章では5人の人物の身元が判明した経緯を紹介したが、（その一）の「ソニア」を除く4人に関しては、千葉在住の福島清隆氏及び米国ペンシルバニア州在住のマーク・ハルペン氏に多大なご協力を得たことを特に記し、感謝の意を表したい。

第5章

ヤン・ズワルテンダイク（駐カウナス・オランダ領事）

今や、「命のビザ」といえば杉原千畝の代名詞のようになった観があり、その傾向が強まるに従い〝杉原讃歌〟はますます盛んだ。映画、テレビドラマ、ドキュメンタリー、バラエティー番組、学校の教科書、ミュージカル、さらにはオペラや一人芝居まで。

同胞の偉業を讃えるのはもちろん結構なことだが、その際「はじめに」でも述べたように、当時杉原千畝以外にもユダヤ人を救った人々がいたことを忘れてはならないと思う。

私がヤン・ズワルテンダイクという人物を知ったのは、前著『命のビザ、遥かなる旅路』の執筆準備を始めた二〇一〇年以前のことだったと記憶している。

ヤン・ズワルテンダイク

いろいろ資料に当たっている過程で、杉原千畝がユダヤ人に日本通過ビザを発給することができた背景には、オランダ領事のズワルテンダイクが出した「キュラソー・ビザ」の存在があったという事実を知った。その時は、「なるほど、そういうことがあったのか」という程度の認識で、前著においても詳細に語ることはできなかった。

その後、少しずつ彼のことを知ろうとしていたところ、真正面から彼に向き合うきっかけが訪れた。それは、彼の長男が遺した回想記を読んだときだった。特に、次の一節が心に残った。

「一九四〇年から四一年にかけて、ポーランドからリトアニアを経て数千人のユダヤ難民がヨーロッパを脱出した。その背景には、ミスター・スギハラが大きな役割を果たしたことはよく知られている。しかし、それはあの脱出劇の一部でしかない」

〝脱出劇の一部でしかない〟とはどういうことだろう、とこの文言が妙に心に引っかかったのだが、その経緯を知るに及んで、私の中で「キュラソー・ビザを語らずして杉原ビザを語ることはできない」との思いが募っていった。

さて、一九四〇年七月、多くのユダヤ難民が杉原千畝の領事館に押し寄せてきた。杉原がそれらのユダヤ人に日本通過ビザを出すには、彼らが日本に到着した後、その次の行き先国への入国許可（ビザ）を有していることが必須条件だった。当時、オランダ領であったカリブ海上のキュラソー島へはビザなしで行けたので、それが突破口を開く役割を果たした。これが、いわゆる「キュラソー・ビザ」で、それを発給したのがズワルテンダイクであった。

ここまでのことは杉原ビザに詳しい方なら先刻ご承知のことと思うが、その詳細な経緯についてはあまり知られていない。私はその経緯を、そのビザで助かった当事者から直接聞かせてもらった幸運な一人である。

それは、概略以下の通りである。

ここに一人のユダヤ人女性がいる。

ネイサン（左）＆ペピィ（右）親子

一九一一年生まれ。最初はオランダ国籍であったが、名前はペピィ・シュテルンハイム・ルーイン。ポーランド人著述家イサク・ルーインと結婚してポーランド国籍を取得。第二次世界大戦が勃発すると、一家は当時住んでいたポーランド第二の都市、ウッジからリトアニアに脱出した。この時、オランダからウッジに遊びに来ていた彼女の母親と弟も一緒だった。

だが、聡明な彼女はリトアニアも安全でないことを察知し、ズワルテンダイクに「オランダ領東インド（現インドネシア）のジャワ島への入国ビザを出してほしい」と頼み込んだ。

当初ズワルテンダイクは、ペピィがすでにオランダ国籍を喪失していることを理由にビザの発給を断った。そこで彼女は、ズワルテンダイクの上司にあたるオランダ大使のデ・デッカーに直訴の手紙を送ることにした。デ・デッカーは、当時ラトビアの首都リガに駐在していた。

だが、デ・デッカーは、ビザ発給の業務は停止されていると丁重に断った。しかし、彼女はあきらめず必死に食い下がった。かつて、自分はオランダ国民であったこと、また、ポーランドから一緒に逃げてきた母親と弟がオランダ国民であることを盾に取ったのである。

デ・デッカー大使

事情を理解したデ・デッカーは、オランダ領のカリブ海上のキュラソー島または南米のスリナムであれば、ビザなしで入国できる、ただし、入国許可を出すかどうかの最終判断は現地のオランダ人総督が行なう、と説明した。

しかし、それでは、オランダ国籍を持つ母と弟の入国は認められても、ポーランド国籍のルーイン一家の入国は認められない公算が強い。この時、彼女の類まれな機転が働いた。

「後段の入国許可の件は書かないでください。前段の『オランダ領のキュラソーおよびスリナムに行くには、ビザは必要ない』とだけ書いてもらえませんか」

デ・デッカーはペピィの懇願を受け入れ、彼女の夫のパスポートにその旨を書き込んだ（一九四〇年七月一一日付。写真）。こうして、オランダ大使のお墨付きを得た彼女は、再びズワルテンダイクに面会を求めた。ズワルテンダイクは上司のデ・デッカーが書いた内容を夫のイサク・ルーインの通行許可書にそのまま書き記した（通行許可書とはリトアニア政府が難民に付与したもので、パスポートに代わるもの。

1940年のビザ発給の流れ

デ・デッカー大使（7月11日） ➡ ズワルテンダイク領事（7月22日） ➡ 杉原領事代理（7月26日）

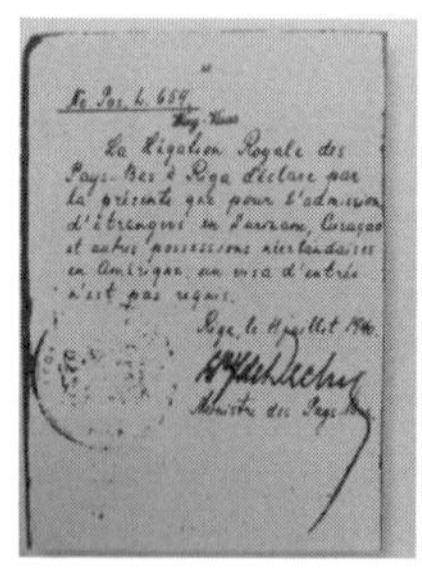

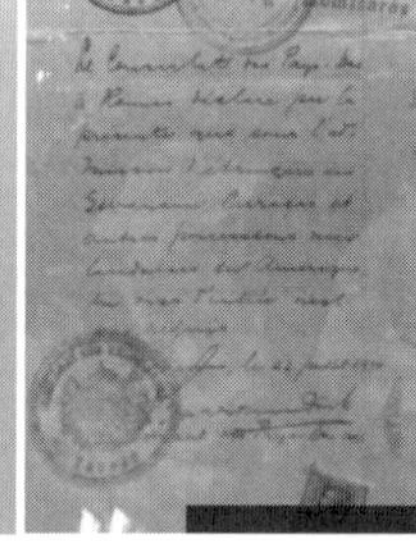

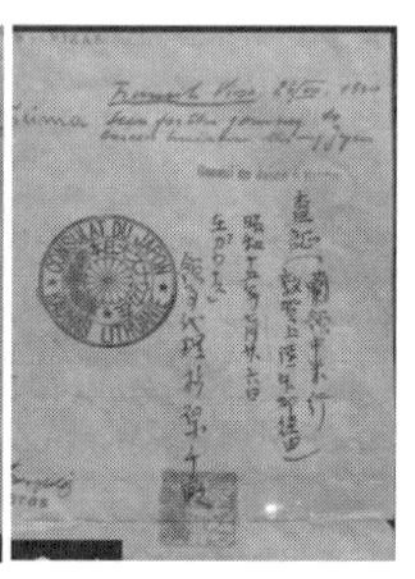

写真）。時に、一九四〇年七月二二日のことであった。

その４日後の七月二六日、ルーイン夫妻はキュラソー入国許可書を手にして日本領事館を訪れ、晴れて杉原千畝から日本通過ビザの発給を受けることができたのである。

（一連のビザ発給の流れは写真で示す通り）

ところで、私は二〇一五年一〇月に池袋の東京芸術劇場で開催された「勇気の証言――ホロコースト展　アンネ・フランクと杉原千畝の選択」のオープニングセレモニーに参加する機会を持った。会場には来賓としてオランダ大使やリトアニア大使らが来ていたが、二人の大使はスピーチの中で、「ミスター・スギハラと同じように、ユダヤ人のためにビザを発給したオランダの外交官がいた」と、ズワルテンダイクに言及したのである。

数日後、私はオランダ大使館を訪問した。対応してくれた広報担当官は、ズワルテンダイクのことを知りたいという私を温かく迎え入れてくれた。そして、「家族に会ってみたい」という私の希望を叶えるために尽力してくれた。残念ながら、回想記を書いた長男は二〇一四年に他界していたが、本国の外務省の口利きで、次男のロバート氏を紹介してもらうことができた。

早速、ロバートさんとの間でメール交換が始まった。

ロバートさんと（2017年6月）

「父のことをそのように考えていただいて大変嬉しいです。世界的にミスター・スギハラを顕彰する動きがある一方で、わが父のことはまったく語られていない。それが、我々家族の心を乱すのです」

それから1年8カ月後の二〇一七年六月、ついにロバートさんとの面談が実現した。アムステルダムから電車とバスを乗り継いで約1時間。落ち着いた町の閑静な住宅街の一角にロバートさんの家はあった。

「父がユダヤ難民を助けたのは、人間としての博愛精神からであって、過度に功績を強調されることは望んでいなかったでしょう。しかし、その行為がまったく注目されていないのは残念なことです」

その言葉からは、遺族としての複雑な心情が感じられた。

　では、なぜ、ズワルテンダイクの功績は母国ですら知られていなかったのだろうか。理由の一つは、前述の通りキュラソー・ビザは正規のビザでなく、便宜的に作られたものであったことだ。

　このため、後年オランダ政府は「政府としてキュラソー・ビザの発給を容認したわけではない」との立場をとった。つまり、政府にとって、ズワルテンダイクの行為は正当化できないものであり、もろ手を挙げて評価するわけにはいかないものだった。

　オランダ本国でズワルテンダイクが黙殺され続けてきたもう一つの理由は、当時の世界情勢にあった。

　一九四〇年五月、オランダはナチス・ドイツに占領された。もし、オランダの領事がユダヤ難民の脱出に手を貸していたことがドイツ軍に知れたら、どうなったことだろう。いつ反逆罪で射殺されてもおかしくないほどの危険を孕んでいた。キュラソー・ビザとは、まさにオランダ領事の生命と引き換えに発給された「命のビザ」でもあったのだ。

　この年の8月、カウナスにあったオランダ領事館は閉鎖され、ズワルテンダイクは家族と共に帰国した。それから終戦の一九四五年まで一家はそれこそ息をひそめて暮らしていたことだろう。

戦後になっても、彼がユダヤ難民にビザを発給したという事実は長きにわたって伏せられ、ようやくその行為が世間に知られるようになってからさえも、オランダ政府が事実を公にすることはなかった。

ズワルテンダイクが他界したのは一九七六年。イスラエル政府が遅まきながらその功績を認め、「諸国民の中の正義の人」として「ヤド・バシェム賞」を追贈したのは、彼の死後21年も経った一九九七年のことであった。

その点、杉原千畝は死の前年に当たる一九八五年に同賞を授与されており、存命中に功績が認められたという意味では、大変幸せだったとも言える。

ところで、ズワルテンダイク家にとって誠に喜ばしい出来事があった。

「ヤド・バシェム賞」受賞から21年後の二〇一八年六月一五日、カウナス市においてオランダ国王とリトアニア大統領の臨席の下、ズワルテンダイクの顕彰式典が盛大に執り行なわれた。もちろん、ロバートさんと姉のエディットさんも招待されてのことである。遺族として、2人の心中いかばかりであっただろうか。

後日、ロバートさんから当日の式典に関する感想が寄せられたので、以下に紹介したい。

ズワルテンダイク顕彰式典（2018年6月）
左からオランダ国王、リトアニア大統領、エディットさん（姉）、ロバートさん

当日は91歳になる姉のエディット（在フランス）、長男夫婦（在オランダ）、次男夫婦とその息子（在アメリカ）が式典参加のためリトアニアに集合しました。我々家族は、父の顕彰と、救われた２２００人の記憶のモニュメントの設置のために奔走されたヴァン・デル・リンゲン駐リトアニア・オランダ大使に感謝しました。

我々家族一同は、ウイレム・アレクサンダー・オランダ国王、グリバウスカイテ・リトアニア大統領、カウナス市長及び多数の要人の皆様にご参列いただいたことを大変名誉に思いました。

２２００本の小さなＬｅｄライトの棒で組まれた光の輪は24時間点灯される、実に感動的なモニュメントです。その光の輪は頭上約３メートルの高さで、かつて父の事務所があった場所の真正面の空間に設置されました。

その下の舗装された地面には父の名前を刻した、24時間照明のプレートが埋め込まれています。私自身は、このモニュメントが父の栄誉を誇大に伝えるものではなく、正しい決断によって多くの命が救われたことを象徴するものであることを嬉しく思います。


ところで、杉原千畝の出身地の岐阜県八百津町にある「杉原千畝記念館」には約40枚のビザのコピーが保管されている。キュラソー・ビザと杉原ビザが併記されているもので、それぞれの日付が読み取れるため発給の流れが理解できて非常に興味深い。ズワルテンダイクも杉原も最初は手書きであったが、申請が殺到してきたため途中からスタンプを使い出したことはよく知られている。これらのビザを見ていて分かったのだが、ズワルテンダイクは七月二四日、杉原は八月二日にスタンプに切り替えている。両者とも短期間に２０００通以上のビザを発給したわけだが、それがどれほど大変な作業であったかは、想像にあまりある。

２つの国の領事が、まったく同時に、人道的見地からユダヤ難民のために大量のビザを発給したというのも不思議なめぐりあわせである。しかも、いくつかの資料には、２人は

ネイサン・ルーインさんと（2016年６月）

実際には会ったことが無いと記されている。そんなことを何の打ち合わせもなしに行なうことなど、果たして可能なのだろうか。にわかに信じられない話ではあった。

実は、私は二〇一六年六月、ロサンゼルスで開催された杉原千畝関連のイベントに、前述のペピィ・シュテルンハイム・ルーインの息子である弁護士のネイサン・ルーイン氏と一緒に参加した。私にとっては、その疑問を解くまたと無いチャンスだった。

「どこかの時点で２人は会い、なんらかの打合せをしたのではないか、と母は言っていました。ただ、私自身がその場にいたわけではないので、真相は分かりません」というのがルーイン氏の返答だった。

そのことよりも、同氏が私に熱っぽく語ってくれたのは、キュラソー・ビザというものがどのようにして生まれたのか、そのいきさつについてであった。前述の「そのビザで助かった当事者」とは彼のことである。

以下は私とルーイン氏とのやり取りである。

私：杉原ビザで助かった皆さんは一様に「ミスター杉原がいなかったら、私や私の家族はこの世に生存していませんでした」と言われますが、今あなたのお話を聞かせてもらって感じたのですが、ズワルテンダイクさんの存在も忘れてはなりませんね。

ルーイン氏：その通りですね。それに、デ・デッカー大使の理解と英断も付け加えなければならないでしょう。

私：さらに正確に言えば、「あなたのお母さんの粘り強さがなかったら」ですね。

ルーイン氏：そう、粘り強さというか、信念ですね。

この時、ルーイン氏はにっこりとほほ笑み、表情は満足げであった。

一方、前述のロバートさんを訪問した際に同じ質問を投げかけたところ、彼は即座に「二人がこの件で会ったという事実はない」と断言していた。だが、二人の間にまったく接点がなかったわけではないことを示すエピソードを語ってくれた。それは――、ズワルテンダイクが手書きからスタンプに切り替えたのは杉原より一週間も早かったため、キュラソー・ビザを持ったユダヤ難民が日本領事館に押し掛け、長蛇の列ができてしまった。焦った杉原はオランダ領事館に電話した。そして、「あまりビザを速く出されると、こちらで捌き切れないから、少しペースを落としてくれ」と、ズワルテンダイクに申し入れた、というのである。

また、二人の家は比較的近い距離にあり、ロバートさんの姉が、「ミセス・スギハラが、着物姿で外出するのをよく見かけた」と言っていたことも話してくれた。

国も立場も異なる二人の外交官が、期せずして、ユダヤ人の命を救うため連携した――、なるほど、歴史の妙とはこういったことを言うのだろうか。

なお、順序が前後したが、ズワルテンダイクの簡単な略歴と当時の世界情勢を記しておきたい。

一八九六年　　オランダ、ロッテルダムで生まれる
一九三八年　　フィリップス社のカウナス代表として同地に赴任
一九四〇年五月　　ドイツ、オランダに侵攻

同　六月　在カウナス・オランダ領事に任命
同　年八月　リトアニア、ソ連に併合
同　年九月　オランダに帰国
一九四五年五月　ドイツ降伏
同　年八月　第二次世界大戦終結
一九七六年　死去（享年80）
一九九七年　ヤド・バシェム賞受賞
二〇一八年六月　カウナスにおいて顕彰式典が行なわれる

筆者注：肩書については、「名誉領事」または「領事代理」が使われることもあるが、ここでは、便宜的に「領事」とした。また、名前の表記も「ツバルテンディク」が往々にして使われているが、日本の各メディアは「ズワルテンダイク」に統一しているので、それに倣うことにした

さて、本章を締めくくるにあたって私が強調したいのは、一九四〇年七月から数か月間

にわたってリトアニアを舞台に繰り広げられたユダヤ人の脱出劇は、杉原ビザとキュラソー・ビザとが一対となって初めて成り立ったものだということである（もっとも、次章で述べているように、当時のソ連当局が果たした役割も考慮しなければならないだろうが）。

在ヴィリニュスの国立ホロコースト博物館の展示

在カウナスのスギハラ・ハウス内の展示

私が読んだ多くの命のビザ関連の書籍の中で最も信頼できると思ったものに『ホロコーストと外交官』（モルデカイ・パルディール著、人文書院、二〇一五年刊）があるが、この中で著者は、ズワルテンダイクと杉原千畝のビザ発給を不可分のものとして捉えている（67〜92ページ「第3章　リトアアニア――キュラソー島はどこにあるのか」）

3年前に訪れたヴィリニュスの国立ホロコースト博物館では上掲の写真のように二人の写真を一対として展示し、それぞれの事績を平等に紹介している。

また、カウナスのスギハラ・ハウスでは杉原千畝の執務室だった部屋を再現し、訪れる人に臨場感を与えている。私にとって非常に印象的であったのは、この部屋の一つの壁全体をズワルテンダイクの業績を示すのに使っていることであった。

一方、日本ではどうであろうか、と考えたとき真っ先に思い浮かぶのは、前出（86ページ）の杉原千畝の母校である名古屋の瑞陵高校の「杉原千畝広場　センポ・スギハラ・メモリアル」である。この顕彰施設は杉原千畝ひとりに光を当てるのではなく、ズワルテンダイクを含め多くの人々を取り上げている点においてまさに国際的視野に立った優れたものと言えよう。読者の皆さんにもぜひ一度訪問されることをお勧めしたい。

ところで、ここまでお読みいただいた方々は、私が随分とズワルテンダイクにこだわっているなと感じられたことと思う。実はそれには理由がある。

2～3年前にキュラソー・ビザ誕生の背景を紹介した拙稿の英訳文がJapan Forwardという英語サイト上で流されたことがあった。それに対して読者の書き込みがあった。曰く、

（上）瑞陵高校内の「杉原千畝広場」

（左）ズワルテンダイク紹介のパネル
写真提供：愛知県教育委員会

「ズワルテンダイクは上司のデ・デッカーの指示に従って行動したまでであり、スギハラとは異なり命令に背いたのではなかった。

チウネ・スギハラ氏はあるインタビューで、自分はズワルテンダイク氏には会ったことはないと述べている。

スギハラ氏は如何なる状況にもかかわらず、必要書類を持たずにやってきた難民には自らの命の危険を冒し、命令に背いてまでビザを発給した。スギハラ氏以外の何人（なんびと）にも評価を与える必要はない。

自分は実際のところ、単なる旅行社員と思しきこのジャーナリスト（筆者注：私のことを指している）の信ぴょう性は信用できず、その信頼のおけない記事はJapan Forwardのような立派な新聞にとっては不名誉だと考える」

現在日本ではSNS上の匿名による誹謗中傷が社会問題になっているが、私にも右のような経験があった。私に関わる部分は別にして、気になるのは、このような盲信的な杉原ファンの言動が逆に杉原千畝の評判を落としてしまっていることである。

ただ、注目したいのは、キュラソー・ビザなしで日本通過ビザをもらった人もある程度存在している点である。第3章66ページのベンジャミン・フィショッフさんもキュラソー・ビザを所持していなかった一人である。彼の杉原リスト上の番号は2070番、ビザ取得日は八月二一日である。この前後の人たちはおそらくキュラソー・ビザを持っていなかったのではないかと推測できる。

また、私が会った人の中には、杉原リスト上に名前が載っていないにも拘わらず「杉原千畝」の署名の入ったビザを取得していたケースもあった（筆者注：12ページで紹介したJerryの父親のAbram Shmoys, 一九四〇年八月二九日取得―16ページの写真参照―）。

これらの事実を考え合わせると、八月後半頃に杉原千畝が取った行動は明らかに人道的精神に基づいたものであったであろうことは否めない。

その点においては、やはり杉原千畝は稀有な人物であったと言えよう。

第6章

根井三郎（駐ウラジオストク総領事代理）

根井三郎
写真提供：根井三郎顕彰会

第一章で述べた通り、日本に行くための必須条件である「キュラソー・ビザ」を取得し、無事に杉原千畝から日本通過ビザを発給してもらったユダヤ難民が次に向かったのはシベリアのウラジオストクであった。

では、本章の主人公である、在ウラジオストク日本総領事館の総領事代理を務めていた根井三郎の人物像について述べたい。

まずは、簡単な経歴紹介から。

一九〇二年　三月　宮崎県（現在の宮崎市佐土原町）に生まれる
一九二一年　三月　旧制長崎県立大村中学校卒業
　　　　　　四月　外務省留学生採用試験に合格
　　　　　　六月　外務省留学生としてハルビンに留学
一九二五年　四月　ハルビン日本総領事館に勤務

一一月　ウラジオストク日本総領事館に勤務

（この後、ウラジオストクに2度勤務する）

一九四〇年　八月　4度目のウラジオストク日本総領事館勤務

一二月　総領事代理となる

一九四一年　二月　八日から六月二日まで、同地のユダヤ難民について、外務本省と電報のやり取りを行なう

一九四五年　八月　日本国内で終戦を迎える

一九六二年　三月　名古屋入国管理事務所所長を最後に公務員生活を終える

一九九二年　三月　永眠（享年90）

私が根井三郎の存在を知ったのは、前著『命のビザ、遥かなる旅路』の執筆に取り掛かった二〇一〇年のこと。参考に読んでいた『自由への逃走 ―杉原ビザとユダヤ人―』（中日新聞社会部編）の中で紹介されていたのである。

内容は、カウナスで杉原ビザを取得したものの、あろうことかそれが書き込まれたパスポートを紛失してしまったユダヤ人学生の話であった。

有頂天から絶望へ。それでも必死の思いでウラジオストクにたどり着き、日本総領事館に駆け込んだ。事情を説明したところ、責任者であった総領事代理の根井はビザを出し、その上、橇でホテルまで送ってくれた。

「杉原ビザをもらった時は感激した。しかし、ウラジオストクではその何倍も感動した」

このエピソードを知ったことがきっかけで、「根井三郎」の名前が私の頭の中にインプットされた。しかし、正直なところ当時の私にとっては杉原千畝の存在のほうが大きかったことは否めない。

ところが、その後も「命のビザ」関連の資料に当たっている過程で、根井三郎が私の前に度々登場してくるようになった。そして、その都度、「面白からず」という文言に出くわした。それは、――

杉原千畝がビザを発給したのは一九四〇年七月末から八月までの約一カ月間で、その数は2000通余り。翌年になると、それを携えて日本に到着する難民の数は増加の一途を辿った。その対応に苦慮した外務省はモスクワの日本大使館とウラジオストクの日本総領事館に対して頻繁に訓電を送った。その例として次のようなものがある。

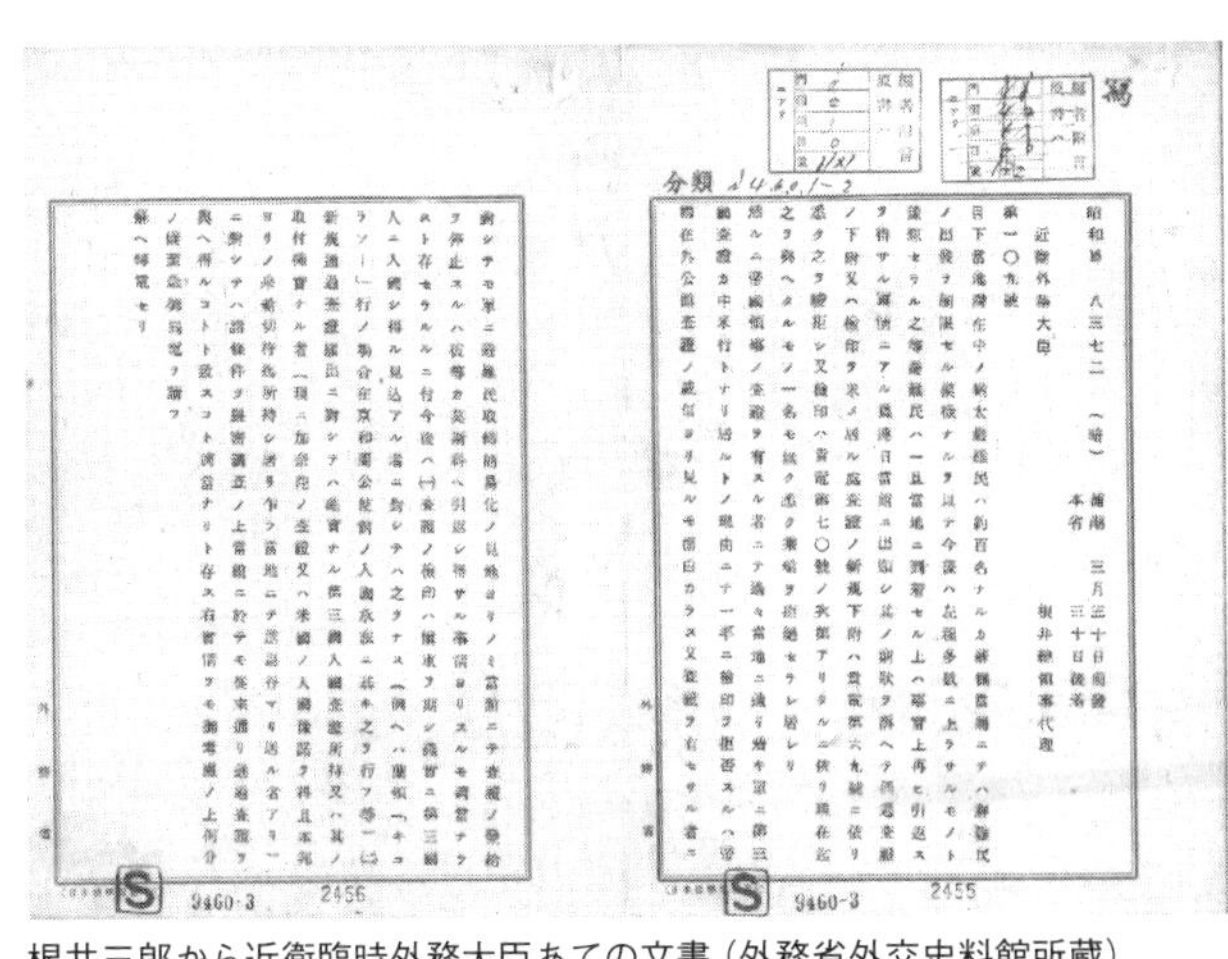
分類
昭和拾五年　八三七二　（暗）　浦潮　本省　三月三十日前発　三十日後着
近衛外務大臣　根井総領事代理
第一〇九號

根井三郎から近衛臨時外務大臣あての文書（外務省外交史料館所蔵）

二月一九日付、松岡洋右外相発、根井総領事代理宛：

「神戸のユダヤ協会に問い合わせたところ、多数の避難民の世話まで引き受けられないとのことなので、ビザ発給は控えるように」

また、二月二六日付で同じく外相発、根井宛：

「現在国内には約１２００名の避難民が滞留しており、その処理に困っている。ついては、貴地における避難民には日本通過ビザは発給しないこと」

一方、モスクワの建川美次大使（第７章で紹介）に対しても、ビザ発給に際して制限を強化するようにと訓令を発している。

その後、ヨーロッパ訪問中の松岡に代わって近衛文麿臨時外相は三月一七日及び一九日の二度にわたり、極めて厳しい訓令を発した。

その主な内容はかいつまんで言うと、(一) 通過ビザの発給はモスクワに限定する。(二) 前年一二月二〇日以前に発給された通過ビザ (杉原ビザを含む) は、すべてモスクワまたはウラジオストクにおいて再検閲の上、行先国の入国手続が完了している場合に限り検印した後に乗船させる。(三) ソ連当局にもこのことを通告する。(四) 避難民には条件を具備していなければウラジオストクに向かっても無駄である旨を警告する、というものであった。

これに対しては、建川のみならず根井も三月三〇日付の電報で強く反論している (写真)。前述の「面白からず」の文言が見られ、根井三郎の覚悟のほどが窺える電文である。少し長くなるが、全文を引用したい。ただし、当時官庁で使われていた用語と表現が基本となっているので、一部私の解釈に基づいて通常の文章に書き改めたことをお断りしておきたい。

「目下、当地に滞在中の猶太避難民は約百名であるが、ソ連当局においては避難民の出発を制限する模様である。ついては今後は左程多数に上らないと予想される。これらの避難民は一旦当地に到着した以上、事実上再び引き返すことができない実情にある。その為、連日当館に出頭し、その窮状を訴えて通過査証の交付または検印を求めている。査証の新規交付については貴電第69号により全て拒否し、また検印は貴電第70号の指示により現在まで一名たりとも与えず、乗船を拒絶している。

しかしながら、帝国領事の査証を有する者が遥々当地にたどり着いているとき、単に第三国査証が中米行きとなっているとの理由で一律に検印を拒否するのは帝国在外公館の威信から見ていかがなものか（面白からず）。また、査証を有していない者に対して、単に避難民取締簡易化の見地のみから当館において査証の発給を停止するのは、彼らがモスクワに引き返すことが出来ない事情からして適当でないと考える。ついては、今後は（一）査証の検印は慎重を期し確実に第三国に入国し得る見込みある者にのみ行なう（例えばオランダ領「キュラソー」行きの場合、在京オランダ公使館の入国承認に基づいて行なう等）。（二）新規通過査証願い出に対しては確実な第三国入国査証の所持者またはそれの取り付けが確実な者（現にカナダの査証または米国の入国承諾を得、かつ本邦よりの乗船切符まで所持していながら当地にて進退窮まっている者あり）に対しては諸条件を厳密調査の上、当館においても従来通り通過査証を与えることが適当であると考える。右実情をご考慮の上、至急何分の御回電を請う。」

前述した「面白からず」という文言を私は勝手に「いかがなものか」としたが、出先の外交官が本省に対して使う言葉としては異例なほど強いものに感じる。また、前後の文章からは、避難民たちの置かれた状況をよく理解し、何とかしてやりたいとする気持ちがひしひしと伝わってくるようで、強い正義感と人道精神を持った人物であったことが窺える。

根井三郎に関する以上のような経緯を知ったのを機に、私は考えるようになった。

――「命のビザ」と言うととかく杉原千畝ひとりが脚光を浴びているが、根井三郎にももっと光を当てるべきではないか――

その後、講演や執筆の機会があれば少しでも根井三郎のことに触れるように努めてきた。しかし、正直なところあまり大きな反応を得るには至らなかった。

そのような折、二〇一六年八月に根井三郎の出身地である宮崎市佐土原町に地元の有志によって「根井三郎顕彰会」が立ち上げられた。それに伴い、翌年にはいろんな事実が明

根井三郎顕彰会の人々。右から事務局の福嶋英公さん、根井翼会長、富岡重人さん（根井三郎の甥御さん）、私

らかになり、メディアにも取り上げられるようになった。

徐々にではあるが、根井三郎に光が当たるようになってきた。

二〇一九年九月、私は地元の空気に触れたいと考え、佐土原町を訪れ、顕彰会の方々に会った。

「私はこれまでフリーの立場でユダヤ難民と命のビザをテーマとした記事を書いたり、講演を行ったりしています。そういった活動を通じて最近感じるようになったのは、日本ではユダヤ難民を救ったのはあたかも杉原千畝ひとりのように扱われる傾向があるのではないか、ということです。今後は根井三郎さんのことも広く知ってもらいたいものですね」

これに対して、顕彰会会長の根井翼（よく）氏は、

「おっしゃる通りです。我々としても、郷土が生んだ立派な人物として大いに広めて行かなければならないと考えています」

と全面的な賛意を表してくれた。

(因みに、根井会長は同じ姓ではあるが根井三郎とは特に姻戚関係は無いとのこと)

その半年後の二〇二〇年四月六日、信じられないことが起きた。それは一通のメールだった。相手は数年来親しくしているアメリカ在住のマーク・ハルペン君だった(この後はマークと呼ばせてもらう)。彼はユダヤ人家庭の家系図の調査を得意としており、私にとっては得難い協力者である。

「アキラ、添付したドキュメントの漢字の部分は一体何を意味するのか教えてもらいたい。私に問い合わせてきたのは知り合いのキム・ハイドーンという女性なんだ」

この知らせは私にとって二重の驚きだった。

一つ目の驚きは——、

別掲の写真に見られる通り、それは紛れもなく昭和十六(一九四一)年二月二八日に発給された「通過査証」で、「在浦潮斯徳　日本帝國総領事館　総領事代理　根井三郎」の記載がある。特に目を奪われたのは、きれいな手書きの「総領事代理　根井三郎」であった。

早速、宮崎の顕彰会事務局にそのコピーを送り、見てもらった。

「我々もこのような単独のビザを見るのは初めてで非常に驚いています。さらに詳しいことが分かればぜひともお知らせいただきたい」

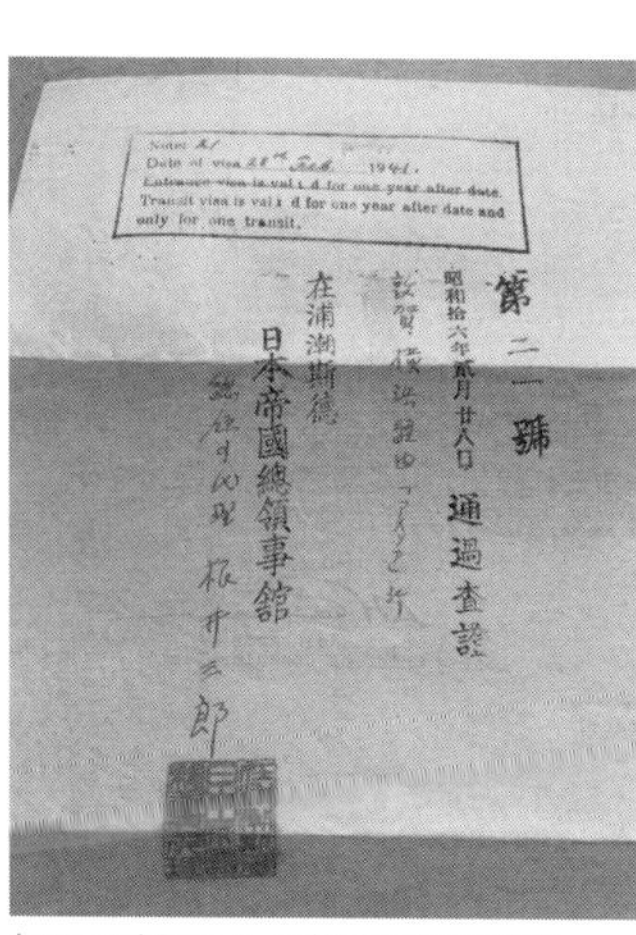
Note: 21
Date of visa 28th Feb. 1941.
Entrance visa is valid for one year after date.
Transit visa is valid for one year after date and only for one transit.
第二一號
昭和拾六年貳月廿八日　通過査證
在浦潮斯徳
日本帝國總領事館
總領事代理　根井三郎

初めて確認された単独の根井ビザ

二つ目の驚きは、キム・ハイドーンだった。実は、私は以前に彼女とメールのやり取りを行なったことがあった。彼女にはフェリシアと言う名前の母親がおり、私が「フェリシア」を追っていたことからキムと繋がった経緯があったのだ。

ここで、キムの母親であるフェリシアについて少し説明をしなければならない。

両親はシモンとエンマで姓はコレンタイエールといった。実は、この３人の親子はポー

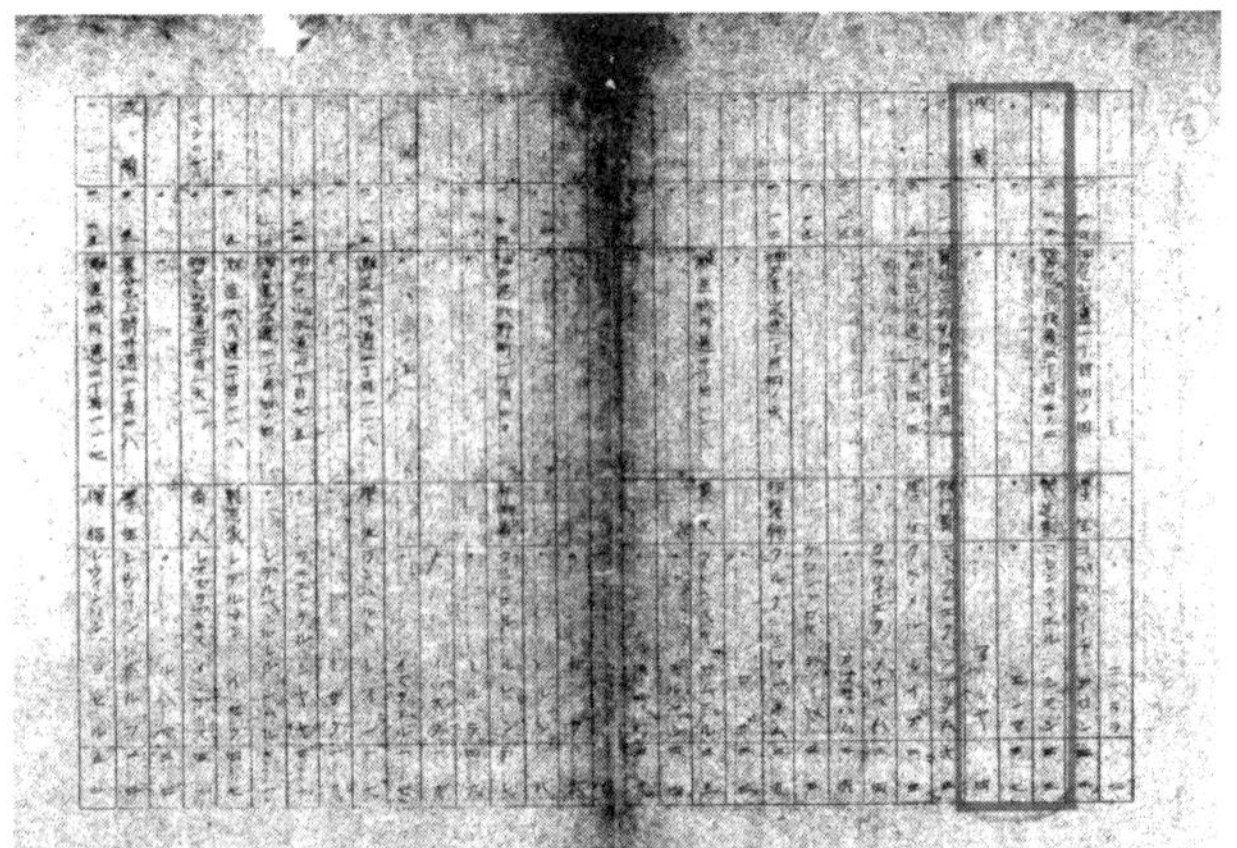

3人の名前が記載されている兵庫県リスト

The Netherlands Legation hereby certifies that the undermentioned persons all of Polish nationality do not need a Netherlands visa in order to proceed to the Netherlands West-[illegible] (Cumçao, Surinam, etc.)

1. Beiler Abraham Mojzesz
2. Goldberg Chaim
3. Gastner Hirsz
4. Tanienter Szaja
5. Seroka Szymon
6. Ruchlejmer Izak
7. Szwarcman Szlama Uszer

38. Bursztynarz - Abramczyk Jankiel
39. Goldberg Szmuilo Morduch
40. Korentajer Szymon
41. " Emma
42. " Felicja
43. Fuks Abram
44. " Szajna Hendla

ここにも3人の名前が（No.40、41、42）。これはキュラソー入国証明書

ランド出身で、第二次世界大戦下のヨーロッパを脱出し、一九四一年に日本に逃れてきたユダヤ難民だった。他の多くの難民家族と同様、しばらく神戸に滞在した後に上海に送り込まれ、一九四七年、ようやくアメリカに渡ることができた。

私が最初に3人の名前に出会ったのは、外務省外交史料

館のユダヤ難民関連のファイルにあったリストの中だった（別掲写真）。これは、昭和一六（一九四一）年八月に兵庫県が作成した、当時神戸に残留していた人々の名簿で、300名あまりの名前が網羅されている。その中に明らかに親子連れと思われる3人の名前があった。特に私の目を引いたのは「フェリシア 4歳」の欄で、この幼女の名前はいつまでも心に残っていた。

それから数年後のこと、今度は東京のオランダ大使館から入手したリスト（別掲写真）の中に間違いなく同じ3人の名前を発見した。これは、書類不備により敦賀港で上陸を拒否されたためウラジオストクに送り返されたものの、その後、当時の在京オランダ公使館の奔走でようやく入国を許可された74名のリストであった（第3章で記述の通り）。

この時も、「Korentajer Felicja」の記載が目に焼き付いた。

――4歳の小さな女の子がそんな苦難の旅を続けていたのか！　彼女は今どこでどうしているのだろうか？

以上の経緯から、根井ビザの所有者が私の「尋ね人」の娘であることが分かり、なにか目に見えない糸に導かれているような気がした。

キムは、祖父母と母親の命を救ってくれたのはてっきり杉原千畝だと思い込んでいたようで、前年にカウナスのスギハラ・ハウス（当時の日本領事館で現在は記念館になっている）を訪れ、杉原リストを丹念にチェックしたが3人の名前は見つからなかったと私に告げた。「根井三郎」という別の外交官の出現に彼女は驚き、同時に事実を知ったことを喜んだ。こうして、再び彼女との間でメールが頻繁に行き交うようになった。

そして、彼女からもたらされた情報と資料によっておおよそ次のことが分かった。

祖父：Simon Korentajer（一九〇八年八月三一日ワルシャワ生）

祖母：Emma（一九〇四年五月二七日カウナス生）

母　：Felicia（一九三七年三月二四日ワルシャワ生）

逃避行の経路：一九三九年九月一日ナチスのポーランド侵攻に伴いリトアニアに逃避、一二月カウナスにおいて難民登録、一九四一年二月二日在モスクワのアメリカ大使館において移民ビザを申請、同月6日申請却下、その後シベリア鉄道にてウラジオストクに到着、同月28日に根井三郎総領事代理から日本通過ビザを取得、3月29日敦賀到着、しばらく神戸で滞在した後に上海に移動、6年半の滞在の後一九四七年八月一〇日に上海を出発、25日サンフランシスコ到着

ところで、このビザの発給番号は第21号で、日付は二月二八日と記されている。ということはその前に20通のビザが発給されていたと解釈できるのだが、これまでのところそれ以外のものは確認されていない。さらに興味深いのは、前述の通り根井は本省から二月二六日付の電報でビザ発給停止の訓令を受けていることである。彼がそれを見過ごすことはあり得ないから、あえて無視したのだろうか？

根井三郎署名の検印（イスラエル国立資料館保管）

これの関連の話になるが、ビザとは別に「渡航証明書」という名称の書類がある。ビザと同じ効力があり、これで外国に渡れると考えていいものだ。そのコピーが私の手元にあるが、ここにも根井三郎の名前が見られる。日付は昭和一六（一九四一）年三月一六日で、番号は第9号となっている。記載事項は順番に姓名（判読困難）、生年（一九二二年）、職業（学生）、国籍（ポーランド）、行先地（北米合衆国）、本邦上陸地（敦賀）、乗船港（浦潮）などとなっている。（筆者注：著作権の問題があり、残念ながらこのコピーの写真は掲載できない。）

以上のことから推測できるのは——

根井は第21号ビザの後、本省からの訓令に従ってビザの発給は取りやめ、渡航証明書に切り替えた。その際、発給番号は新規に第1号から始めた。その時期はおそらく三月一日以降であろう。約2週間の間に9通発給したと考えても全く無理はない。むしろ十分に納得がいく。では、後どれくらいの渡航証明者が出されたのだろうか？それは今のところ分からない。ビザ同様、ほかのものが確認されていないからだ。

もう一つ、根井がユダヤ難民の日本行きに関わったものとして、外務本省から指示された「検印」がある。前ページの写真はイスラエル国立資料館に保存されている書類で、左上段に一九四〇年八月二一日付の杉原ビザが見える。そして、右側中央に見えるのが根井による検印である。日付は昭和一六（一九四一）年四月一九日となっており、ユダヤ難民のヨーロッパ逃避行の終盤に近いものであろう。

1950年代のコレンタイエール一家。左からシモン、フェリシア、エンマ

果たして根井は何通のビザを発給し、何枚の渡航証明書を書き、何件の検印を押したのだろうか。確認されている資料から判断すると、２０００通以上のビザを出した杉原千畝の実績とは大きな差があるように思える。

しかし、〝数の多さをもって貴しとせず〟である。根井三郎の研究者である国士舘大学のヤコフ・ジンベルグ教授は次のように語っている。

「前後４回にわたってウラジオストク勤務を経験した根井は、単純に経歴を比較すると杉原以上のソ連エキスパートだったと言えるでしょう。日ソ中立条約が結ばれた一九四一年四月一三日前後、日本はソ連側の情報を抑える必要があったことから根井がそれに絡ん

1941年、神戸で撮られた記念写真。左から瀬戸四郎牧師、フェリシア、エンマ、瀬戸夫人、右側3人は不詳、後列左の女性は不詳、右はシモン（フェリシアの父）

でいた可能性は十分にあります。少なくとも当時の関係者の中では一番の〝ベテラン〟でした」

今回、これまで知られていなかった根井ビザの存在が明らかになったことについては、上述の経緯から私が発見者の役割を演じることになった。

従来から、杉原千畝以外にもユダヤ難民に救いの手を差し伸べた人々がいたことを認識し、彼らにも光を当てるべきだと主張してきた私にとっては大変幸運なことだったと思っている。これを機会に地元の顕彰会を中心に今後さらに根井三郎研究が進展することを願っている。

前列中央がフェリシア、左側がキム、右側が長女のデボラ（2015年、孫の結婚式で）

この章を締めくくるにあたって、根井ビザに助けられたコレンタイエール一家の当時（前ページ）と現在の様子を写真でご紹介することにしたい。

とにかく、この一家３人は根井三郎が「通過査証」を発給しなければ、日本を経由して最終目的地のアメリカにたどり着けなかったのである。

第7章

N・A・J・デ・フォーフト
（駐神戸オランダ領事、後に駐日オランダ大使）

「天草丸事件」と呼ばれた出来事をご存じだろうか。

第3章66ページでご紹介したベンジャミン・フィショッフさんが語ってくれた話を思い出していただきたい。そう、敦賀で書類不備のため入国を拒否され、ウラジオストクに送り返された74名一行が再び敦賀に舞い戻り、ようやく上陸が許されたという話である。インタビューの際、フィショッフさんは何も見ずにすらすらと一九四一年三月一三日、一六日、二三日と三つの日付を口にして私を驚かせた。70年前に起きたことをまるで昨日のことのように話してくれたのだ！

さて、ここに当時の福井新聞の関連記事があるので引用してみよう。

昭和一六（一九四一）年三月一八日（火）夕刊2面「船中に涙の場面／天草丸で送還されたユダヤ人」

欧亜連絡船天草丸は内外船客七十九名を乗せて十六日午後二時敦賀出帆浦汐に直行したが［中略］同船で去る十三日欧州の戦禍を避けて流浪の旅をつづけてゐるユダヤ人七十四名が査証不備の点と所持金不足のため浦汐に向け送還されたが彼等のうち□六名も交はつてをり送還と決るや泣きの涙で船中はしばし悲劇の場面を見せた

昭和一六（一九四一）年三月二五日（火）夕刊２面「ユダヤ人また逆送／天草丸で敦賀上陸」

欧亜連絡船天草丸は廿三日午前九時敦賀に入港した。［中略］欧州の戦禍を遁れて流浪の旅を続けるユダヤ人部隊が百九十七名であつたが去る十六日浦汐に送還されたユダヤ人七十四名もまじつて再び同船で戻つてきたがこの一行は同日午後上陸を許された

では、この一行はどのようにして上陸が許されたのであろうか。

まずは事の発端から——

一九四一年三月一五日、外務省アメリカ局第三課長あてに一通の要請文が届いた。発信者は神戸ユダヤ人協会会長（筆者注：アナトール・ポネヴィジスキー氏）で、次のように訴えている。

「二三日に敦賀に入港した天草丸にて避難してきたユダヤ人の中で約九十名は日本領事の通過査証（筆者注：杉原ビザのこと）を取り付けてあるにも拘わらず、入国目的国の査証がない為、上陸禁止の上、明一六日に（筆者注：ウラジオストクに）送還される由であるが、彼らの中には既に入国目的国の官憲が入国に付いて了解済みのものもあり、当協会

に於いて責任を持ち短期間中に日本より退去させるので内務省当局とご折衝の上、上陸許可についてご配慮をお願いしたい」

一方、ウラジオストクの根井総領事代理からは三月一九日付で以下の報告があった。

「天草丸船長は出航手続きが終了した後になって乗客数が定員を超過している事実を発見し、そのままでは出帆不可能であるので超過乗客の下船を求めたところ、ソ連官憲は出帆手続き終了後はいかなる理由があってもソ連法規により乗客の下船は許容できない旨主張し、同船より引き揚げようとしている。船舶側としてはソ連官憲が引き上げた場合、官憲及び当館との連絡が途絶え、出帆を延期せざるを得なくなり、そうなると多数の乗客と乗組員の食糧にも不足をきたすことになるためやむを得ず出帆することに決め、臨時定員超過の證明の発給を当館に願い出てきた。事情調査のため当館館員を同船に派遣し、同館員がソ連官憲と超過乗客の下船を交渉したが、ソ連法規を盾に取り頑として我が方の要望に応ぜず、解決を見ないため臨機の措置として船長の願い出により本證明の発給を行なった次第」

また、モスクワの建川大使からも、三月二〇日付で近衛外務大臣あてに電報が届いた。

「一九日、ソ連領事部長代理は当館館員に対し、天草丸の74名の避難民がアメリカの査証がない為、敦賀上陸を拒否されウラジオに舞い戻り目下船内にいる由であるが、彼らは日本側の査証を有していることに鑑み日本上陸が許可されるよう必要の措置を願い出てきた。ついては、いかに回答すべきか御返電いただきたい」

これに対し、三月二五日付で近衛外相から建川大使に回答が送られた。

「74名の避難民は二三日、天草丸にて再び敦賀に入港したが、在京オランダ公使館にてユダヤ人協会の懇願を察し、蘭領西印度（筆者注：オランダ領キュラソーを指す）への入国を保証するとのことにつき特に上陸を許可した」

以上、3件のやり取りの内容と福井新聞の各記事との間にはまったく齟齬がない。ウラジオストクと敦賀の間で繰り広げられたユダヤ難民の輸送劇の中でも大きな出来事であったことが窺える。

それにしても、前述のフィショッフさんの記憶力のなんと素晴らしいことか！

以上が本章で取り上げた「天草丸事件」の前段ともいうべき話の推移であるが、そろそろ核心となる後段に移りたい。

実は、この74名の一行が無事に日本上陸を果たせた背景にはある一人の外交官の奔走があった。本章の表題になっているN・A・J・デ・フォーフトという名前の人物がその人。一九四〇年当時、在神戸オランダ領事館の領事だった。前述の近衛外相から建川大使あての電報には「在京オランダ公使館にて・・・」とあるが、この件に深く関わった人物である。

まずは、ごく簡単に略歴を紹介し、続いてその後の出来事について詳述したい。

N・A・J・デ・フォーフト

・一八九九年　オランダのキャッツ（Ｋａｔｓ）生まれ
・一九二七～三〇年　在京オランダ公使館において通訳官
・一九三一～三四年　京都と大阪の大学で講師を務める傍ら日本語の研究
・一九三四　在神戸オランダ領事館において二等通訳官（この時期、与えられた宿舎に設けた無線室でオランダやイギリスの船舶から発信される情報を傍受し、その時のヨーロッパ情勢の把握に努めた）

・一九四〇～四一年　同、領事
・一九六〇～六五年　駐日大使（東京駐在）
・一九七七年　死去（享年78）

驚いたことに、日本とはずいぶん縁のある人物だったのだ。

デ・フォーフトは現在でもオランダ外務省において、彼が駐在した国の言語、文化、宗教、習慣に関する豊富な知識を有していた外交官として知られている。

16歳でラジオに熱中し、医師にさせたいとする父親の希望に従って医学の道に進んだが、病気のため勉学を中断し、以前から志望していたマルコニスト（無線通信士）を目指すようになった。その間、日本語と中国語を学び、外交官養成のため外務省付属の通訳科に入ったが、常に通信技術の習得に励んだ。

デ・フォーフトが日本での勤務を開始したころ、在京公使館（筆者注：当時は大使館に格上げされる前だった）のトップは一九二三年に就任したパブスト少将が引き続き務めていた。一方の在神戸総領事館の代表はペニンク総領事であった。ペニンクは日本のすべてが嫌いで総領事の職にも忠実ではなく、東京のパブストを避けてすべて物事を一人で決めていた。

当時、神戸はバタビアとスラバヤとの通商で日本製の自転車、ミシン、カメラを輸出しており、彼はその業務に専念し、領事業務はデ・フォーフト任せであった。

さて、前述の74名のユダヤ難民が第三国行きのビザを所持していないことを理由にウラジオストクに送り返された時、一人の若いオランダ人男性がデ・フォーフト領事に助けを求めてきた。名前をネイサン・ガットワースという。彼は前年の一九四〇年八月にカウナスで杉原ビザを取得し、一二月八日にリトアニアを離れて年内に日本に到着し、その後デ・フォーフトに連絡を取っていた。二人はお互いの存在を知る間柄だった。

74名を助けてほしいと懇願するガットワースに対してデ・フォーフトは東京の公使の許可がないと自分は何もできないと答えた。そこで、ガットワースは在リガのデ・デッカー大使（筆者注：第5章135ページに登場）の手紙を見せたところ、デ・フォーフトはしばらく考えた後、「それがあれば十分だ」と返答した。

一方、74名を乗せた天草丸の船長は、ウラジオストクで彼らを下船させることはしないと約束していたが、事情を至急無線で知らせてもらう必要があると言ってきた。

そこで、デ・フォーフトはガットワースに「オランダ領事館」のレターヘッド用紙を渡し、ある作業を依頼した。74名に関する必要事項の記入である。友人に手伝ってもらい、ガットワースはタイプ打ちの作業を行ない、でき上がったものをデ・フォーフトの家に届けた。

この間の動きの詳細は明らかではないのだが、私（筆者）の推測ではおそらく次のような展開があったのだろうと思う。それは、――

でき上がった書類を持ち、デ・フォーフトは東京の公使館に向かい、バプスト公使のサインを要請した。バプストはデ・フォーフトが自分の権限を遥かに越える行動をとったと非難した。しかし、バプストはサインを拒否はしなかった。彼は、当時オランダと日本の間に起きつつあった緊張関係の解消に向けてなんら積極的に動こうとしていなかった。今がその埋め合わせをする時だと判断した彼は74名のリストの下にサインした。

それは181ページの写真に見られる通り、次のような内容である。

「オランダ代表部は、下記のポーランド国籍の人々はオランダ領西インド諸島（キュラソー、スリナム、その他）に入国するに際してオランダ査証は不要であることを本書面において証明する。

74名のリスト

東京、一九四一年三月一八日
オランダ公使　J・C　パブスト　」

これを携え、デ・フォーフトはその日のうちに敦賀に向かった。そして、海運会社（日本海汽船）の敦賀事務所から無線で天草丸の船長を呼び出し、経緯を伝えた。翌日、船長はソ連当局に対して、74名のビザが出されたので日本入国が可能となった旨を伝えた。

その結果、前述の三月二五日付の近衛外相から建川大使あての返電に結びついたわけである。

結局、パブストはデ・フォーフトに対して懲戒処分を行なわなかった。その背景には、終始デ・フォーフトと行動を共にしたガットワースが公に語った次の事実などが幸いしたのかもしれない。

――敦賀の海運会社の事務所で天草丸と無線通信を行なったのは、戦時被害者救援委員会（筆者注：ポーランド大使館が組織したもの）の代表ではなく、デ・フォーフト領事だった。彼は、モールス信号で無線通信士の役目を担ったのだ――

ガットワースはデ・フォーフトが一九七七年に他界するまで彼との付き合いを保ち、常に「デ・フォーフトさん」と呼んで尊敬の念を表していた。夫人に対しても「奥様」と敬

The Netherland's Legation hereby certifies that the undermentioned persons all of Polish nationality do not need a Netherlands visa in order to proceed to the Netherlands West-Indies (Curaçao, Surinam, etc.)

1. Beiler Abraham Mojzesz
2. Goldberg Chaim
3. Gastner Hirsz
4. Tanienter Szaja
5. Seroka Szymon
6. Ruchlejmer Izak
7. Szwarcman Szlama Uszer
8. Lewin Szepsel
9. Lew Mejer Dawid
.0. Altszuler Antonina
.1. Krakowski Wolf Abram
.2. Mendelson Manus
.3. Arabczyk Beniamin
.4. Guberman Efraim
.5. Guberman Sara
.6. Ulrych Baruch
.7. Wajngarten Jakub Berek
.8. Goldberg Boruch Icko
.9. Wajntraub Josek
:0. Fiszow Chil
:1. Bryzman Szymon
:2. Znamirowski Symcha
:3. Znamirowska Leonia
:4. Znamirowski Izrael
:5. Mandelbaum Berko Jakub
:6. Garden Izrael Mojsze
:7. Podchlebnik Szlama
:8. Goldszmidt Henoch
:9. Kozlowski Beniamin
0. Sezemen Jecheskiel
1. Gelbron Boruch Mojsze
2. Mlotek Abram
3. Rubinstein Daniel
4. Sztiglic Izrael
5. Szepsenbaum Rytla
6. Zaulner Aron
7. Bursztynarz - Abramczyk Michel

38. Bursztynarz - Abramczyk
39. Goldberg Szmuilo Morducl
40. Korentajer Szymon
41. " Emma
42. " Felicja
43. Fuks Abram
44. " Szajna Hendla
45. Kalisz Szymon
46. " Icchok
47. Epsztein Abram
48. Bimbad Szloma
49. Podchlebnik Efraim
50. Finkelsztajn Benjamin
51. Sztycer Nachman Boruch
52. Jakubowicz Moszek Lajzer
53. Langer Mozes Izak
54. Szejnbaum Lejb
55. Sznajder Nachman
56. Susel Sosia Mariam
57 Prokosz Szmul
58. " Perla
59. Kandel Abram Josef
60. Lewi Josef Chaim
61. Apsztajn Salomon
62. Apsztajn Sara
63. Berezowski Zelezniak Osk
64. Berezowski Zelezniak Mar
65. Zalc Jakub
66. Schmert Maks
67. Pinkus Henryk
68. Fajgenblum Cyrla
69. Warhaftig Ignacy
70. Kozlowski Rubin Josef
71. Margolis Izrael
72. Gerichter Szaja
73. Szechter Dawid Samuel
74. Szymkin Jozef.

Tokyo, March 18th, 1941.

The Netherlands Ministe

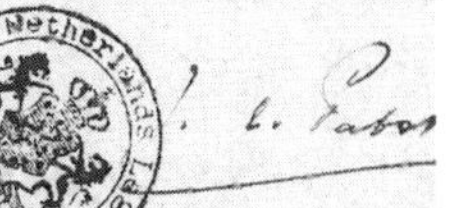

74名を救ったリスト（オランダ国立図書館保管#2.05.65.01:136）

意を抱いていた。

この「奥様」はアマリンシャ・デ・ヴリエスという名前で、デ・フォーフトとは一九三〇年に結婚した。彼女もまた夫に劣らずできた人で、神戸に滞留していたユダヤ難民を助けた。

その一例として、ここにハイム・ヌスバウムという男性がいる。一九〇九年、アウシュビッツ近郊の生まれ。若いころに前出のネイサン・ガットワースと知り合い、一九三九年に妻、子供、弟と共にリトアニアに移る。そこで、ガットワースの勧めで一九四〇年八月にキュラソー・ビザと杉原ビザを取得した（筆者注：杉原リストの1630号）。一一月末にシベリア鉄道に乗り、ウラジオストク、敦賀を経由してようやく神戸にたどり着いた。数日後、妻のラヘルは出産した。生まれてきた赤ん坊はその日のうちに亡くなった。悲惨な逃避行が原因だった。神戸市役所にどのように死亡を知らせればよいかわからなかったハイムは領事館に電話した。

知らせを受けた領事館では、アマリンシャが直ちに信頼できる医者をラヘルのところに送り込んだ。お陰でラヘルは一命をとりとめた。また、デ・フォーフトはシンガポールで数年間の勤務経験を有するベテラン看護師を雇い入れた。そのほか、日に2回果物を差し入れることを忘れなかった。

ラヘルの回復後、デ・フォーフトはハイムや他のユダヤ難民たちがオランダ領東インド諸島に行けるようオランダのパスポートを発行することに努めた。しかし、これは容易ではなかった。なぜなら、バタヴィア（筆者注：現在のジャカルタ）の総督は、日本を出る前に仕事を確保していない人たちの入国を望まなかったからである。

幸いなことに、ハイムはラビ（ユダヤ教指導者）としての仕事があり、弟のサミュエルも最初は難航したが、デ・フォーフトの尽力で数学の教師として働くことが出来た。

デ・フォーフト夫婦の間にはヤンとバートという名の二人の息子がいた。ヤンは一九三三年、バートは一九三四年、共に神戸で生まれた。ヤンは、一九四一年に父親が神戸から夜行列車に乗って仕事で出かけたのを覚えており、それは「通過ビザ」に関係していたという。そして、それによって「少なくとも２００人のユダヤ人を助けたが、その時は上司の公使に相談なく行動した」とのこと。まさに、この「天草丸事件」の出来事を指していることは確かだ。

ヤンは一九七五年一月に弟のバートに送った手紙の中で次のように言っている。

「親愛なるバート、

最近、君は私に、なぜ私たちの父が法律や規則を無視してまでそんなに多くの人を助けようとしたのか、そしてなぜそれをまったく誰にも語らなかったのか、と尋ねたね。

父は自分の行動を決定する上で、確固たる信念を持っていたのだ。彼は次の三つのルールに従ったのだ。

一、他の人の視点で物事を考えること
二、法律の文言より精神を尊重すること
三、人々と接するにあたっては常に寛大であること

君の兄のヤンより」

ところで、デ・フォーフトが懲戒処分を覚悟してまで作成した書面だが、前掲の写真に見られるリストのコピーを私はある時幸運にも入手することができた。近年においてこれを入手した最初の日本人は私だろうと密かに自負している（もしそうでなかった場合、私は自分の自惚れを恥じなければならないのだが）。

その経緯は、――

神戸時代のデ・フォーフト家族
写真提供：Jan & Bert de Voogd氏

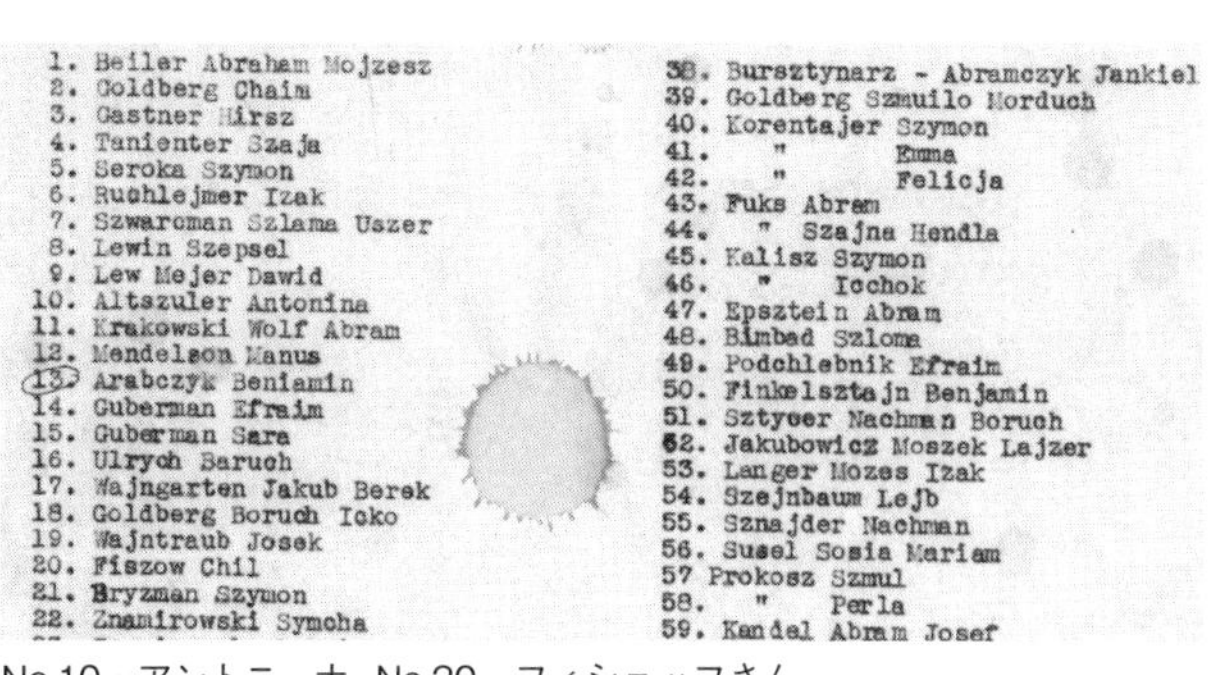

1. Beiler Abraham Mojzesz
2. Goldberg Chaim
3. Gastner Hirsz
4. Tanienter Szaja
5. Seroka Szymon
6. Ruchlejmer Izak
7. Szwarcman Szlama Uszer
8. Lewin Szepsel
9. Lew Mejer Dawid
10. Altszuler Antonina
11. Krakowski Wolf Abram
12. Mendelson Manus
13. Arabczyk Beniamin
14. Guberman Efraim
15. Guberman Sara
16. Ulrych Baruch
17. Wajngarten Jakub Berek
18. Goldberg Boruch Icko
19. Wajntraub Josek
20. Fiszow Chil
21. Bryzman Szymon
22. Znamirowski Symcha

38. Bursztynarz - Abramczyk Jankiel
39. Goldberg Szmuilo Morduch
40. Korentajer Szymon
41. 　"　　Emma
42. 　"　　Felicja
43. Fuks Abram
44. 　"　Szajna Hendla
45. Kalisz Szymon
46. 　"　　Icchok
47. Epsztein Abram
48. Bimbad Szloma
49. Podchlebnik Efraim
50. Finkelsztajn Benjamin
51. Sztyeer Nachman Boruch
52. Jakubowicz Moszek Lajzer
53. Langer Mozes Izak
54. Szejnbaum Lejb
55. Sznajder Nachman
56. Susel Sosia Mariam
57 Prokosz Szmul
58. 　"　　Perla
59. Kandel Abram Josef

No.10…アントニーナ、No.20…フィショッフさん、
N0.40～42…コレンタイエール一家

第5章137ページで述べた通り、二〇一五年一二月にオランダ大使館を訪問した際、応対してくれた担当官のトン・ゼーランドさんにこの74名の話をした。彼はその話をよく覚えてくれており、何回目かの訪問時に「キタデさん、オランダ外務省のアーカイブで見つかりましたよ」とコピーを手渡してくれたのである。

予想外の出来事に私は胸の高まりを抑えながらリストに目を通した。真っ先に探したのはもちろんのこと、この話を語ってくれたフィショッフさんの名前である。

はたせるかな、20番目に「Fiszow Chil」という名前があった。「Benjamin」はなかったが、杉原リストでも「Chil Benjamin Fiszof」と記載されているから、まず間違いない。

やはりフィショッフさんの話は本当だったのだ！

興奮を抑えながらリストの上から順番に目を追っていくと、全く予期していなかった名前にぶつかった。10番目の「Altszuler Antonina」である。第４章１０１ページの（その二）に登場する大迫アルバムの女性である。興奮はますます大きくなる。

さらに追い続けると、思ってもみなかった三人一組の名前に行きついた。40～42番の名前は「Korentajer Szymon, "Emma, "Felicia」である。これぞ、第６章１６２ページで紹介したコレンタイエール一家の３人である。

私はゼーランドさんの配慮にお礼を述べて大使館を辞したが、帰宅後もこれらの５人の人たちの逃避行がいかに苦難に満ちたものであったろうかと想像で頭がいっぱいだった。３月と言えば、日本海はまだ冬場で老朽船の天草丸にとっては厳しい航海であっただろう。そのような状況の中で、いったんは到着した敦賀から再びウラジオストクに戻され、しばらくの間船倉に閉じ込められていたという。フィショッフさんが一九九四年の中日新聞のインタビューに答えて、「再びやってきた敦賀の町が天国に見えた」と言ったというのはまさにその通りだったろう。

このリストの他の人たちにもそれぞれ波乱のドラマがあったに違いないが、彼らの生還を可能にしたのが一人のオランダ人領事の〝無償の行為〟の奔走にあったことに私は言い知れぬ感動を覚える。

ここにも知られざる「命のビザ」があったのだ。

なお、下掲の写真はデ・フォーフトが駐日オランダ大使として天皇に信任状を捧呈した時のものである。外交官として有終の美を飾る最後の晴れ舞台だったと言えよう。

オランダ大使信任状捧呈式の日（1960年3月16日）　写真提供：Hans de Vries氏

第8章

建川美次（駐ソ大使）

まさにこれが連鎖反応というものかと思わせる出来事だった。

第6章で単独の根井ビザが発見された話をご紹介したが、この時、日本のさる英字紙が記事を流してくれたところ、一通のメールが届いた。差出人はRabbi Aaron Kotlerとなっており、ラビ（ユダヤ教指導者）の職にある人物であることは推察できた。

「あなたは『Visas of Life and the Epic Journey』（筆者注：拙著『命のビザ、遥かなる旅路』の英訳版）の著者ですか？ 私はこの本を大変興味深く読ませてもらいました。実は、私の母も日本の外交官に助けられました。その外交官は、スギハラでもネイでもありません。タテカワ・ヨシツグ（筆者注：漢字名は建川美次）という駐モスクワ大使を務めた人物です」

思いもしなかったメールで、興味があれば母親の情報を送りたいとの有難い申し出だった。一体どういう話なのだろうと胸が躍り、躊躇なく「情報をお待ちしています」と返事を送った。

ところで、私に建川美次の存在を教えてくれたのは、二〇一三年一一月号の『歴史街道』だった。これは「杉原千畝とサムライたち」を標語にしたいわゆる〝杉原特集号〟で、その中に「『再審議すべし』猛抗議したもう一人のサムライ」の見出しの付いた記事があった。それが、かつて陸軍中将を務め、晩年に外交官となった建川美次との最初の出会いだった。その後、関連の資料を通じて建川の名前に接することが時々あったが、いずれも一過性のものだった。

そうしたところが、去る６月９日に突如として舞い込んできたこのメールを機に、建川美次との距離が一気に縮まったのである。

ここで、建川について述べる前に、まずはコトラー師（このように呼ばせてもらう）が伝えてきた彼の母親、リスシェルの人生を時系列的に紹介したい。

一九二三年　リトアニアのクライペダで生まれる。結婚前の名前は Rischel Friedman（リスシェル・フリードマン）

一九四〇年一二月二二日　Shneur Kotler と婚約

時を同じくして婚約者は単独でオデッサ、トルコを経由してパレスチナに逃避（四一年一月八日、同地到着）

三一日　Josef Moddel というドイツ人男性と偽装結婚（ドイツ・パスポートを取得）
一九四一年　三月　八日　モスクワの日本大使館にて通過ビザを取得
一三日　ウラジオストクに向けてモスクワを出発
二三日　敦賀上陸
同日　兵庫県より6月5日までの滞在許可を取得
八月三一日　神戸より上海行の出国許可を取得
一一月二四日　在上海のドイツ領事館にて上海滞在許可を取得
一九四二年　三月二三日（または一九四四年二月）Josef Moddelと離婚
一九四五年　三月一七日　Sasoon と偽装結婚
一九四六年　六月　六日　上海出国の許可を取得
一九四七年　五月二一日　アメリカに入国
一一月　五日　Sasoonと離婚
一九四九年　一月一九日　Shneur Kotlerと結婚（婚約より8年目）

両親と妹と。右端がリスシェル

二〇一五年　七月一九日　　他界（享年92）

以上が、今回コトラー師から送られてきたパスポートのコピーから探り出せたリスシェルの行動歴である。これを見てまず驚かされたのは、彼女は二度も偽装結婚していることだった。しかも最初は若干17歳の時。リトアニアに残った両親はその後ホロコーストの犠牲となり、父親は一九四一年一〇月に、母親は一九四四年八月にそれぞれ虐殺されている。命の危険が迫る中、なんとか逃げ延びようとする若い女性の必死な姿が目に浮かんでくる。

そのような過酷な状況において、彼女

の運命を決定づける出来事が起きた。それは、一九四一年三月八日の夜のことである。

リスシェルはモスクワにある日本大使館の前に立った。門前にはほかにも並んでいる人がいた。彼女は英語で守衛に呼びかけた。比較的身なりのいい若い女性が英語を話すことに驚いた守衛は彼女だけに門を開いた。建物の中に入ると秘書らしい館員が応対した。「日本行きのビザが欲しいのです」。しばらくすると立派な絹の着物のようなものを身に着けた人物が階段を下りてきた。彼女の訴えにじっと耳を傾けていたその人物は少しの間考え込んだ後、彼女のパスポートに「査証（通過）」のスタンプを押し、「建川美次」と自署した。

「門の外にはまだほかにも人がいるのです」。その人物は彼らをも中に招き入れた。

彼女が一九四一年三月二三日に敦賀に上陸したことは、パスポートに押されている福井県の「通過特許」のスタンプで明らかである。となると、前章で紹介した「天草

建川美次署名の通過査証

丸事件」の話と照らし合わせ、彼女は間違いなく天草丸に乗っていた。そして、敦賀上陸後、神戸に直行したことは、パスポートの同じページに押されている兵庫県の「入国特許」のスタンプからもはっきりしている。

ちなみに、念のためにと思い、昭和一六年（一九四一年）八月三一日付で兵庫県が作成した名簿（当時神戸に滞留していたユダヤ難民のリスト）をチェックしたところ、

「独逸　三・二三　神戸区山本通二丁目十五ノ十六　学生　モデル・リシェル　一八」

と記された欄を発見した。説明するまでもなく、記載項目は上から国籍、入国日、滞在先住所、職業、氏名、年齢である。「神戸区山本通」は現在の中央区山本通で、当時ユダヤ難民の人たちが入れ代わり立ち代わり住んでいたことで知られており、リスシェルもその一人だったことが窺えた。

コトラー師から入手した情報を基に、私なりに整理したリスシェルの足取りはおおよそ以上の通りで、まだまだ不明な点があることは否めない。一点、コトラー師から聞いた話の中で心に強く残ったのは、彼女が悲惨な上海での生活が原因で結核に感染してしまったという事実である。しかし、彼女は幸いにも92歳の長寿を全うすることができた。そして、一九四七年に移り住んだ米国ニュージャージー州のレークウッドの町を、聖職者である義

父と夫を支え、今や全米有数のユダヤ教中心の都市に発展させた。当時は1万人程度だったこの町にユダヤ教神学校を創立し、米国内はもちろんのことイスラエルからも神学生を集め、現在では人口13万人を誇る大学町に育て上げることに貢献した。

二〇一五年七月一七日。リスシェル・コトラーは惜しまれながら波乱の生涯を閉じた。2日後に執り行なわれた葬儀にはゴッド・マザーの死を悼む神学生が詰めかけ、レークウッドの町は黒い装束で埋め尽くされた。

晩年のリスシェル

「母は生前、我々子供に何百回となく、あの時の日本大使の親切について語ってくれました。どれだけ感謝しても感謝しきれない様子でした。確かにそうです。あのビザがなければ、現在のこの町は存在しなかったでしょう」

今、コトラー師は、もし建川美次の遺族に会うことができれば自分たち一族の感謝の気持ちを伝えたい、としている。

アーロン・コトラー師と談笑する山野内勘二大使

私は、軍人出身の日本人外交官と彼に救われたユダヤ人女性の話を多くの人に知ってもらいたいと考えた。そして、どこかのメディアが取り上げてくれるかもしれないと密かに期待しながら私のフェイスブックに投稿した。前回の根井ビザ発見の際に取材してくれた二紙が関心を示してくれたが、結局、今回の場合は杉原ビザや根井ビザとは性質が異なる、つまり〝命のビザ〟とは言えないのではないか、との観点から記事化されるには至らなかった。

いい話なのだが・・・と、残念に思った時、そうだ！とさるメディア関係者の顔が浮かんだ。早速打診のメールを送ったところ、ぜひにとの返事が来た。

そのメディア関係者とは、共同通信ニューヨーク支局長の渡辺陽介氏である。渡辺さんとは、私の調査活動を通して以前数回お会いした経緯がある。この年（二〇二〇年）の始めにニューヨークに赴任したばかりで、レークウッド

2020年(令和2年)7月20日（月曜日）　第3種郵便物認可

ニュースフラッシュ　NEWS FLASH

大戦中、故建川大使(新潟市出身)が発給

難民守った「命のビザ」確認

第２次大戦中の1941年３月に、当時の駐ソ連大使、故建川美次（新潟市出身、1880～1945年）がナチス・ドイツの迫害から逃れたユダヤ人難民に発給した「命のビザ（査証）」の写しを、米東部ニュージャージー州在住の難民の遺族が保管していることが分かった。

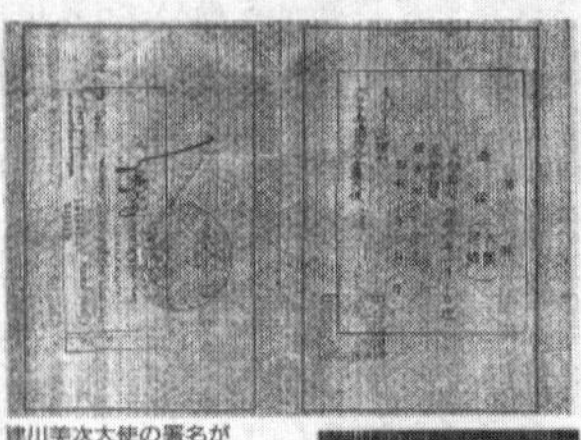

建川美次大使の署名があるビザの写し（遺族提供・共同）

建川による渡航証明書の存在は知られていたが、ビザが確認されるのは極めて珍しい。ビザは日本の外務省が現地での発給を禁じた翌日に出され、ほぼ最後の1枚とみられる。難民に同情的だったとされる建川の判断が影響したもようだ。

米在住の遺族 写し保管

難民は当時17歳だった女性リスシェル・コトラーさん（1923～2015年）。遺族が共同通信に故人の証言や当時の資料を明らかにした。

それによると41年3月8日夜、リスシェルさんは単独でモスクワの日本大使館を訪問。同館前にいた多数の難民は入館を許されなかったが、英語で「約束がある」と守衛に言うと通された。館内では「絹の着物のような服」を着た男性が面会し「日本に行きたい」と伝えると「かなり考えた後」ビザに署名、発給されたという。

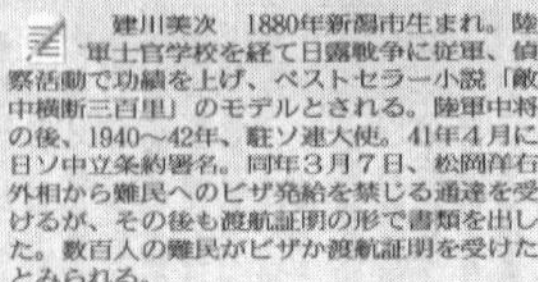

母リスシェル・コトラーさんの遺影の前で、ビザの写しを見せるアーロンさん＝6月、米レークウッド（共同）

リスシェルさんの五男アーロンさん(56)は「守衛は母を難民と思わなかったのだろう」と説明。「母は何百回もこの話をして建川に感謝していた」と語る。リスシェルさんはこの後、敦賀（福井県）、神戸、上海などを経て47年に米国に入国。義父、夫と共にニュージャージー州レークウッドに正統派ユダヤ教の大学を設立、発展させた。

外交官の故根井三郎（1902～92年）が発給したビザの話を最近知ったアーロンさんが、ユダヤ難民問題の著書があるライターの北出明さんに連絡、経緯が明らかになった。北出さんは「命のビザ」は「杉原千畝や根井が有名だが、ほかにも多数が人道的に動いたことを知ってほしい」と語る。

アーロンさんが理事長の大学は正統派ユダヤ教の世界的拠点となり、レークウッドは大学町として急発展した。「ビザがなければ町もなかった」とアーロンさんは話している。（レークウッド共同）

建川美次　1880年新潟市生まれ。陸軍士官学校を経て日露戦争に従軍、偵察活動で功績を上げ、ベストセラー小説「敵中横断三百里」のモデルとされる。陸軍中将の後、1940～42年、駐ソ連大使。41年4月に日ソ中立条約署名。同年3月7日、松岡洋右外相から難民へのビザ発給を禁じる通達を受けるが、その後も渡航証明の形で書類を出した。数百人の難民がビザか渡航証明を受けたとみられる。

新潟日報の記事

はいわば彼の守備範囲だ。コロナ禍の下、いろいろ制約があるにもかかわらず、渡辺さんは片道1時間半のレークウッドにタクシーを飛ばし、コトラー師に会いに行ってくれた。

それを基にした配信記事が7月15日以降、全国の各紙に掲載された。（添付は七月二〇日付新潟日報）

それが大きな効果をもたらし、在ニューヨーク日本総領事館の山野内勘二大使にもコトラー師と面談していただくことになった。大使に同行した渡辺さんにとっては二度目のレークウッド訪問である。当然のことながら第二弾の記事が配信され、コトラー師と山野内大使のツーショット付きの記事が前回同様、全国各紙の紙面を飾った。（添付写真：コトラー師関係者提供）

建川美次（陸軍中将時代）

昭和6（1931）年に発刊された『敵中横断三百里』

さて、本章のもう一人の主人公である建川美次に話を移さねばならない。

歴史、特に戦史に関心をお持ちの方なら、建川美次と言えば日露戦争の際、斥候隊長として5人の部下を引き連れ、敵陣の奥深く潜入して貴重な情報をもたらしたヒーローとしてご存知のことと思う。その活躍ぶりは、昭和の初めに作家の山中峯太郎が書いた『敵中横斷三百里』で広く知られるところとなった。この本は当時の大ベストセラーとなり、特に少年たちを夢中にさせたという。その勲功により陸軍内で順調に出世したが、その後に勃発した満州事変をはじめ一連の軍事事件に関与したとして、一九三六年の二・二六事件後の人事で予備役となった。つまり、軍人としてのエリート・コースから外されてしまったのだ。

ところが、一九四〇年七月に外務大臣に就任した松岡洋右は建川を駐ソ連大使に任命した。この時、松岡は主要な在外外交官40数名を一挙に更迭し、代議士や軍人などを新大使に任命するという破天荒の人事を敢行した。建川もその中に含まれていたわけだが、果たして軍人から外交官への〝華麗なる〟転身といえるものだったのだろうか。

当時、世界の情勢は風雲急を告げていた。日本がアメリカとイギリスに対抗するためにはソ連との関係も重視しなければならず、駐ソ大使は松岡にとって最重要のポストだった。

「ご苦労をお願いすることになるが、お国のためです。よろしく頼みますぞ、建川君」

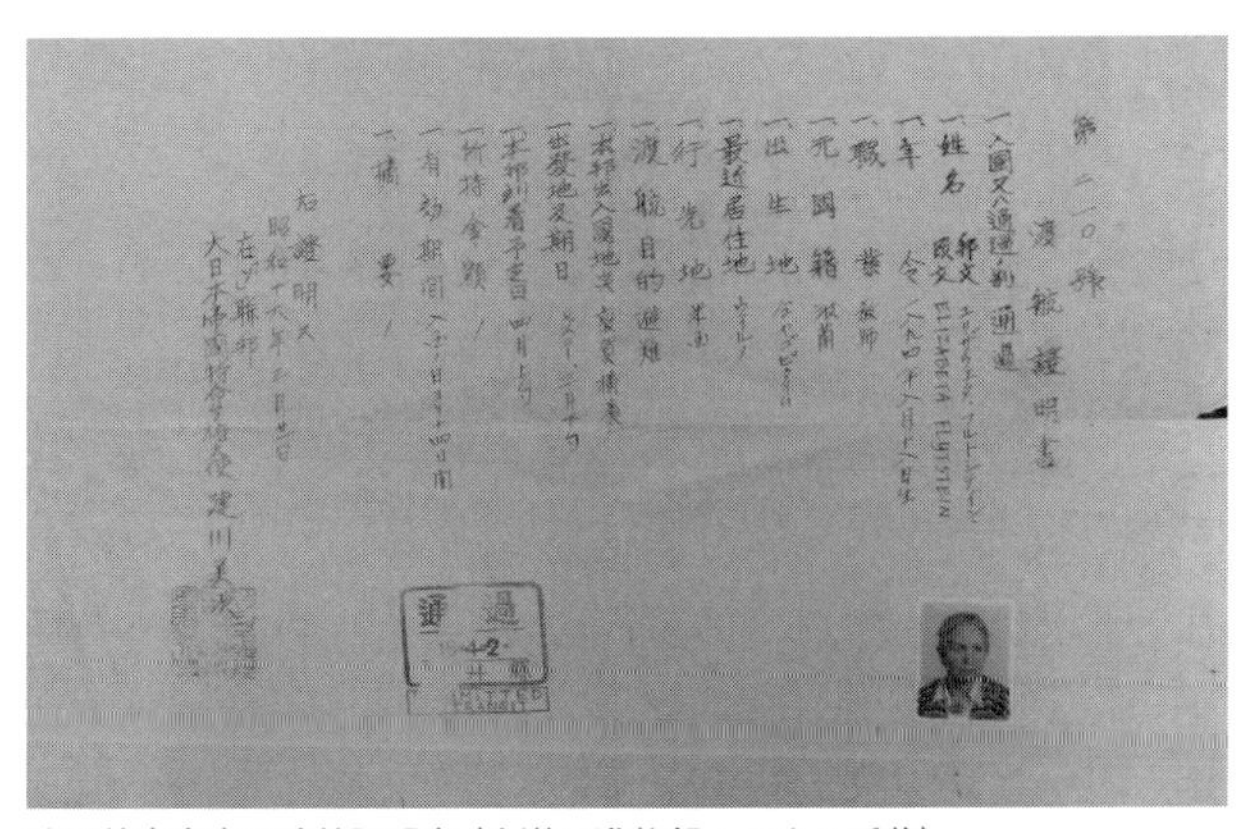

第二一〇號　渡航證明書

一入國又ハ通過ノ別　通過
一姓名
一年令
一職業
一元國籍
一出生地
一最近居住地
一行先地
一渡航目的
一本邦出入國地及豫定期日
一出發地及期日
一本邦到着予定日
一所持金額
一有効期間
一摘要

右證明ス

大日本帝國特命全權大使　建川美次

建川美次書名の渡航証明書（人道の港敦賀ムゼウム所蔵）

建川のソ連出発に先立って催された送別会の席上、松岡はこう言って建川の手を握り締めたという。

その半年後の一九四一年四月一三日、モスクワにおいて日ソ中立条約が結ばれた。日本側の署名者はもちろん松岡洋右外相と建川美次駐ソ大使。当時の二人は強い絆で結ばれていたであろうことは想像に難くない（歴史家でもないので詳しいことは分からないが）。

ところで、この日ソ中立条約締結のわずか1カ月少し前、若きユダヤ人女性、リスシェルが建川のいるモスクワの日本大使館にやってきた。そして、彼から日本への通過ビザの発給を受ける。そのビザは194ページの写真の通りで、よく見ると発給番号、日付、経由地、そして建川の署名は手書きだが、それ以外はスタンプである。これは、杉原ビザの場合もそうだった。杉原ビザでは八月後半頃に発給されたものは署名まで全てスタンプで、いかに事態が切迫していたかが窺える。ところが建川ビザのほうは、署名は明らかに自筆で、別の機会に出された渡航証明書（前頁の写真）の署名と全く同じ筆跡である。（注：この点に関しては文末の【付記】を参照願いたい）

しかし、このビザを巡ってはいろんな指摘や意見が寄せられた。曰く、大使館の閉館後にやってきた若い女性に大使自らが対応するというのは考えられない、一般の館員によって通常のビザ発給業務として出されたものではないか、人道的見地から出されたと言ってもそれを証明するものがない、偽造ビザを疑ってみる必要があるのでは、などなど。

率直なところ、私にしてもそれらに対して明確に反論できる根拠を示せるわけではない。ただ、コトラー師が熱を込めて語っていた「母は我々子供に何百回も繰り返して話してくれた」という言葉に誇張は微塵も感じられないのだ。第一、彼が作り話をしなければならない理由はどこにもない。

では、そもそも当時の日本政府はどのようなユダヤ人対策を立てていたのだろうか。

すでに一九三八年一一月一一日の時点で、時の有田八郎外相が在外公館長宛てに出した訓令の中で、ユダヤ避難民の日本入国禁止及び彼らの上海への移送の方針が示されている。

その後、一九四〇年九月一三日に内務省警保局長から外務省アメリカ局長あてに出された通告「欧州避難民に対する査証事前調査に関する件」で、ビザ発給は事実上、内務省の管理下に置かれることになった。

さらに、ビザ発給の制限を強化したのは、新任間もない松岡外相による一九四〇年一〇月一〇日の訓令「外国避難民の査証扱いに関する件」である。内容は、通過ビザであっても日本滞在期間は10日間、最終目的地への乗船券と入国手続きを完了していることの条件を改めて強く要請するものであった。

建川のモスクワ着任は、ユダヤ難民に対する締め付けが厳しくなっていたまさにこの頃だった。日ソ中立条約のことで頭がいっぱいになっていたはずの彼にユダヤ難民問題が待ち受けているとは本人も予想できなかったことだろう。

年が明け、一九四一年に入ると外務本省と建川大使及び根井三郎総領事代理の間で電報が頻繁に行き交うようになった。

以下、その動きを時系列的に追ってみよう。

二月　一日　建川大使より松岡外相（第２６１９号）
同　日　建川大使より松岡外相（第２６２５号）
二月　三日　建川大使より松岡外相（第２７７４号）
二月　六日　建川大使より松岡外相（第３０６５号）
二月　八日　松岡外相より建川大使（第３６５９号）
二月　八日　根井総領事代理より松岡外相（第３２５２号）
二月一〇日　松岡外相より根井総領事代理（第４１６１号）
二月一二日　建川大使より松岡外相（第３５９６号）
二月二一日　根井総領事代理より松岡外相（第４４２１号）
二月二二日　建川大使より松岡外相（第４５９４号）
二月二六日　松岡外相より根井総領事代理（第６０６７号）
三月　五日　建川大使より松岡外相（第５７５４号）
三月　七日　松岡外相より建川大使（第７２８１号）
三月　九日　松岡外相より建川大使（第７５３６号）

三月一四日　建川大使より近衛臨時外相（第300号）
三月一七日　近衛臨時外相より建川大使（第283号）
三月一九日　近衛臨時外相より建川大使（第287号）
三月二一日　建川大使より近衛臨時外相（第334号）
三月二九日　近衛臨時外相より建川大使（第318号）
三月三〇日　根井総領事代理より近衛臨時外相（第109号）
四月　七日　近衛臨時外相より根井総領事代理（第85号）
四月一八日　近衛臨時外相より建川大使（第401号）
四月一九日　建川大使より近衛臨時外相（第491号）

これらの電報の内容を逐一記述することは紙幅の関係で無理であるが、いずれもビザ発給の制限強化を巡っての出先と本省との攻防である。その一端に触れてみよう。

三月　七日　松岡外相より建川大使
「ユダヤ人其の他の避難民に関する件」（第7281号））
避難民の取扱い対策上必要につき（一）貴館に於いて既往一カ年間に

通過査証を与えたユダヤ人其の他の避難民の数（出来得れば月別に）、（二）将来右査証の申請を為し来るべき者の見込み数、（三）ソ連側は三月一八日以降は右避難民の出国を許可せざる方針とのことだが、事実であるか。

右御取調の上至急回されたい。

（筆者注：この指示は建川大使に対する強い牽制になったと思われる。）

三月一七日

近衛臨時外相より建川大使（筆者注：この時期、松岡外相は欧州出張中）

「欧州避難民に対する本邦通過査証の発給手続きにつき訓令」（第283号）

現在本邦における停滞者千二百名に達し、今後さらに増加傾向にあるので、当分の間手続きを以下のように定める。

（一）査証発給個所を貴館に限定する。

（二）条件を具備する申請者の数を半月毎に本省に報告すること。

（三）本省で審査し付与できる者の数を連絡するので、その範囲内で最好条件を具備する者のみに付与すること。

（筆者注　これは事実上、発給禁止の訓令のように思われる。）

四月一八日　近衛臨時外相より建川大使

「欧州避難民の本邦通過査証申請者数につき報告方訓令」（第４０１号）

先の第２８３号に関し、第二項に対する回答を返電されたい。

四月一九日　建川大使より近衛臨時外相

「欧州避難民の本邦通過査証申請を黙殺している旨報告」（第４９１号）

貴電第４０１号に関し、新取扱い決定は実情に即しないものであるので、当館としては中南米または目的地の出先官憲の査証をそのまま有効として日本通過を許可しないのであれば、むしろ申請を黙殺することが日ソにとって有利だと考える。従って、申請者数の報告は行わない。

（筆者注：建川大使の本省に対する強い憤りが感じられる。）

これら四例のみでは全体の流れを説明しきれないが、要するに外務本省としてはできるだけ彼らの受け入れ（通過）を抑えたいとする様子が見て取れる。それに対して、建川にしても根井にしても、何とかしてユダヤ難民を助けたいとの気持ちから本省の意向に逆らい、組織の一員の枠を越えたところで人間としての判断に従ったことは事実であろう。

80年前の一九四一年三月八日の夜、モスクワの日本大使館で起きた出来事を証言できる人間は今や誰もいない。また、それを証明する確たる資料もない。唯一、リスシェルが遺して行ったパスポートに記載されたビザだけが真実を知っている。

本章を締めくくるにあたり、建川美次その人に関する私の個人的な思いを述べてみたい。

中学校の歴史の授業で太平洋戦争について学んだ際、一連の流れで満州事変、国際連盟脱退、日ソ中立条約などの話を聞かされた。特に印象に残ったのは、松岡洋右が国際連盟脱退の演説をした件だった。並みいる各国代表を前に堂々と英語で脱退を宣言し、会議場を後にしたという話は私の少年心を大いに揺さぶった。

日ソ中立条約については、松岡洋右が日本の全権代表だったと教わったのは記憶しているが、建川美次が駐ソ連大使として署名したという話は残念ながら覚えていない。と言うより、松岡洋右の陰に隠れて建川の存在は教師にも我々生徒にも無かったのだと思う。ただ、この日ソ中立条約は後になって日本に大変な悲劇をもたらしたものだと教えられたのは記憶に残っている。

今回、本書の執筆過程に於いて松岡と建川に行き当たったわけだが、この二人が日本の現代史の上で因縁浅からぬ関係にあったことを知り、非常に驚いた。

しかも、日ソ中立条約が締結された一九四一年四月一三日当時、東京とモスクワの間ではユダヤ人問題を巡り激しい応酬が繰り返されていたのだ。この時、二人はモスクワで毎日一緒に過ごしていたはずだが、会話は条約問題だけだったのだろうか、それとも、ユダヤ人問題も話題に上ったのだろうか。

それから1年後の一九四二年三月、建川は日本に呼び戻された。1年半に満たない短い外交官生活だった。彼を待っていたポストは軍国主義の象徴のような大政翼賛会の総務、続いて傘下の大日本翼賛壮年団団長だった。まさに落魄の身を感じさせる人生の最終段階だったように思う。

私が読んだ彼の評伝、『残影 敵中横断三百里 ～建川斥候長の生涯～』（中島欣也著）によると、ソ連が日ソ中立条約を破り日本に攻め入った八月九日、建川は手にした新聞を置いて瞑目したという。外交官として一世一代の舞台で果たした使命がとんでもない結果を招いてしまった。胸をかきむしられる思いだったろう。そして一か月後の九月九日、彼は息を引き取った。

私は、先日（二〇二〇年七月二四日）多磨霊園にある建川のお墓を訪れた。墓碑の周りは雑草もなく奇麗に保たれてはいたが、長い間

多磨霊園にある建川美次の墓所

誰も訪れた形跡はまったく見られなかった。

不遇だった晩年の建川にとって、ソ連大使時代にユダヤ難民を救うために尽力した事実は、暗い闇に差し込む一条の光だったのではなかっただろうか、そんなことを思いながら私は霊園を後にした。

（付記）

２０１ページの渡航証明書に見られる記載事項は、建川の署名も含めすべて同一筆跡であることが明らかである。この点からこれを作成したのは、建川本人ではなく配下の担当官であったと推測される。大使自らこのような事務的な書類を作成するとは考えられないからである。ただし、駐モスクワ大使館のような大規模な大使館においては、事務作業は担当官が行ない、それを大使が承認するというのは通例のことである。

第9章

タデウシュ・ロメル（駐日ポーランド大使）

第5章で取り上げたオランダの外交官、ヤン・ズワルテンダイクのことを知っている日本人はほとんどいないと言えば、言い過ぎになるだろうか。

では、タデウシュ・ロメルはどうか。一部の研究者や関係者を除き、ズワルテンダイク同様ほとんど知られていないと言っても過言ではないと思う。かく言う私自身も最近まではそうだった。ここ数年はズワルテンダイクとキュラソー・ビザが私の主な関心事だったからでもあった。

タデウシュ・ロメル
写真提供：在日ポーランド大使館

ワルシャワ大学日本学科教授のエヴァ・パワシュ＝ルトコフスカ博士はポーランドを代表する日本研究の第一人者である。私は二〇一八年五月、ある会合でルトコフスカ教授にお目にかかる機会を得た。

「私が二〇〇九年に出版した『日本・ポーランド関係史』をぜひ読んでください。そこでタデウシュ・ロメルのことを書いてあります」

数日後、在京のポーランド大使館から同書が送られてきた。300頁以上にも及ぶハー

ルトコフスカ教授（前列中央）を囲んで（2018年５月11日）

ドカバーの立派な本だ。まず目次に目を通し、いきなり「第五章　第二次世界大戦中の諜報活動における協力」から入った。杉原千畝はもちろんのこと、ズワルテンダイクについての記述もある。そして、タデウシュ・ロメルの果たした役割についての詳しい紹介はまさに圧巻であった。

「・・・杉原からビザを受け取ることができた難民たちは、シベリア経由で日本にたどり着いた。難民の受け入れ、宿泊先の手配といった仕事は、当時の駐日ポーランド大使タデウシュ・ロメルの手に委ねられた。・・・」

冒頭のこの一節とそれに続く記述は、ズワルテンダイクの長男の回想記を読んだとき同様の感動と衝撃だった。

〈こんな事実があったとは！　これは「命のビザ」物語を締めくくる最も重要な部分ではないか〉

私はそれまでの不明を恥じた。そして、これを準備中の本書にぜひとも取り入れたいと考え、ルトコフスカ教授に引用の許可を求めた。

「『日本・ポーランド関係史』を読んでくださっていることに対し感謝します。本当にロメル大使の役割はとても大事でした。ぜひ彼についても言及してください。どうぞ私の本を利用してください」

ただし、私のロメル大使に関する知識は同書の範囲内である。いきおい、そこに書かれている内容の引用が多くなるかもしれない。ルトコフスカ教授は、それでも構わない、と返答して来てくれた。有難く思う一方で、私に対する期待も感じられ、力が湧いた。

では、本題に入る前に、彼の略歴は次の通りである。

一八九四年　　ロシア帝国時代のカウナス近郊のアントノシュ生まれ
一九一三年　　スイスのローザンヌで法学と社会政治学を学び始める
一九一九年　　パリのポーランド公使館の一等書記官

一九二八年　ローマのポーランド公使館の一等顧問
一九三一年　在外公館の大使館への格上げに伴い駐ローマ臨時代理大使
一九三七〜四一年　駐日本帝国臨時公使、後に大使
一九四一年　日本を離れた後、一時期は上海で特命大使
一九四一〜四三年　ソ連大使
一九四三〜四四年　亡命政府（在ロンドン）外務大臣
　　　　　　　　戦後カナダに亡命し、マギル大学で教鞭をとる
一九六三年　ポーランド学術研究所所長
一九七八年　カナダのモントリオールにて死去（享年84）

さて、敦賀に上陸した難民の多くは次の行き先国も決まっておらず、十分なお金も無かった。そこで、神戸ユダヤ協会（Kobe Jewish Community – JEWCOM）の支援を受けるべく神戸に赴き、次の移動までの期間、同地に滞在した。

実は、私はこの滞在期間中、彼らユダヤ難民に対する一連の世話はユダヤ協会が一手に引き受けていたものだとばかり思っていた。さらに、彼らが日本を出るのに際して、行き

先国との間の事務手続きはしっかりと整っていたのだろうか、といった疑問もあった。他方、ユダヤ協会も人員に限りがあったであろうし、宿泊先の手配をはじめとする受け入れのための業務をすべて行なうのは困難であっただろうことも十分に推察できた。

そのような状況の中、ロメルの指揮の下に「ポーランド戦争被災者救済委員会」が設置され、委員会は目的遂行のため資金集めをはじめとし、横浜、神戸のユダヤ人団体と連携すると共に東京と神戸に事務所を設置した。ウラジオストクから難民の大集団が敦賀に到着するたびに、委員会の代表は敦賀港に出迎えに行って入国手続きを手伝い、神戸行きの列車に乗り込むのを助けた。

その辺りの状況については、ロメルは一九四一年二月六日付文書で在ロンドン亡命政府外務大臣あてに次のように報告している。

我が国の避難民が日本に流入することによって我々は運営上困難な課題に直面した。戦時財政縮小の結果、職員数を減らされた大使館は領事に降りかかる新しい課題 ―― しかもかなりの大規模の ―― を解決する準備ができていなかった。(中略)日本に到着する予定の避難民の数はほとんどの場合、その概数すらあらかじめ知らされておらず、出国法、

ロメル大使夫妻とポーランド大使館関係者たち
写真提供：在日ポーランド大使館

ソ連の旅行規制、外国査証法、海上航路法は絶えず変更された。しかも、避難民はいつの場合もポーランド国民であることを証明するのに十分な書類も持たずに到着した。そのため根底からこの問題を見直し、解決することなしでは、彼らは旅行を続けることは不可能となっていた。避難民たちは日本の地に、多くの場合、現金を持ち合わせずに到着したので、我々は彼らの最低生活費や高額な電報代や外国領事館における手続き費用として相当な額を用意しなくてはならなかった。

ここで、前出の「ポーランド戦争被災者救済委員会」について詳述したい。

立ち上げられたのは一九四〇年一〇月に開催された在日ポーランド人集会の席上、ロメル大使の呼びかけによるもので、構成は以下の通り強力な布陣で臨んだ。

委員長　ゾフィア大使夫人

事務局長　クレメンス・ズィンゴル氏（在京の有力実業家）

会計　ジクマンノヴァ女史（在満州のポーランド系最大企業主の夫人）

理事　K・スタニシェフスキ（大使館書記官）

A・ピスコル氏（極東ポーランド通信班長）

シュチェシニャコヴァ女史

ロマネスク氏

主な活動は、極東在住のポーランド人のみならず外国人からも可能な限りの資金を集めることで、ニューヨークの合同配給委員会（通称：ジョイント）などからも数回にわたり相当の物質的援助を受けた。また、ウラジオストクから難民の大集団が敦賀に入港した際には、神戸に設置した事務所のスタッフと共に出迎えに行き、入国手続きを手伝った。そこから彼らを神戸に向かわせ、現地の神戸ユダヤ協会が特別に準備した数百人収容の施設に受け入れた。東京にやってくる少数の非ユダヤ系ポーランド人は、できるだけ大使館の敷地内に建てた臨時施設に宿泊させた。

しかし、ロメルが果たした最大の役割はそれ以外のところにあった。難民たちの次の行き先国の入国許可を得ることであった。彼らはキュラソー・ビザを持ってはいたが、最初からキュラソーには行くつもりはなかった。その状況を、ロメルは一九四二年一〇月六日にテヘランで作成した最終報告書の中で具体的に述べている。

支援活動全体の指揮と監督以外に、在東京ポーランド共和国大使館が直接関わったのは、難民へのパスポートの交付であり、これは終始一手に引き受けた。それから、滞在の延長や日本への今後の入国ビザと通過ビザの問題、支援の要請、目的国のビザの取得について、日本政府との間に立って仲介した。また、軍への志願者の登録を目立たぬよう慎重に進め、その志願兵たちをカナダや近東へ送り出すという件にも関与した。ポーランド共和国政府の尽力により、極東のポーランド難民のために一定数の難民ビザが確保された。カナダが２５０で、そのうち80はラビとラビ修業中の神学生に優先的に割り当てられ、オーストラリアが65、ニュージーランドが30、ビルマが50である。（中略）

さらには大使館の協力で、パレスティナへの約４００名分の移民証明書を確保した。大使館はまた、アメリカ合衆国に約３００名分、中南米諸国に約１００名分のビザを独自に

オルガ・バルバシェヴィチ教授

確保することで貢献した。

これらの数字を合計すると１１９５名になる。要するに、これだけ大勢の難民がロメルの尽力のお陰で自由の国に向かうことが可能となった。

ただし、この中にはビザを入手しておきながら何らかの事情で出国できなかった人たちの数も含まれており、ある研究者の調査によって実際に出国した人数は８２７名であったことが判明している。

では、その調査を行なった研究者とは？

ポーランドのクラコフにあるヤギェウォ大学のオルガ・バルバシェヴィチ教授（当時）がその人である。オルガ教授（そう呼ばせてもらう）はワルシャワ大学で前出のルトコフスカ教授の下で日本の歴史を学んだ。研究を進めていく過程で、ポーランドから日本に逃れてきたユダヤ難民の問題にぶつかり、そこから杉原千畝のビザ発給の話に行き着いたという。

「この研究は、いわば私の趣味として取り組んでいるものです（笑）。私が心から尊敬しているルトコフスカ先生の研究に触発されて始まりました。日本を出国したユダヤ難民の数は、ワルシャワのアーカイブス（Central Archives of Modern Records）で発見したリストから割り出して計算したものですから信憑性があります」

オルガ教授はその研究に基づいて、ロメルの事績を詳細にまとめた冊子を昨年（二〇一九年）作成した。今や、ポーランドにおけるロメル研究の第一人者というべき人物である。

実は、私は今年3月にポーランドを訪問し、ルトコフスカ教授とオルガ教授に会ってインタビューをさせてもらうことになっていたのだが、コロナ情勢により実現しなかった。そこで、本章の原稿作成に当たり、オルガ教授とはズーム・ミーティングを通じて意見交換をさせてもらった。

「先生からいろいろお話を伺っていて、タデウシュ・ロメルの功績はヤン・ズワルテンダイクや杉原千畝のそれと並び称されてしかるべきではないかと強く感じます。つまり、杉原ビザの前にはキュラソー・ビザを発給したヤン・ズワルテンダイクの協力があり、後にはタデウシュ・ロメルの尽力があったということ、それを我々日本人はしっかりと認識すべきではないかと思います」

「おっしゃる通りです。そのように考えていただき、とても嬉しく心強く思います。私も全く同じことをこれまで機会のあるたびに書いたり話したりしてきました。これからも、多くの日本の方々にこのことを知っていただけることを願っています」

ところで、太平洋戦争が目前に迫った一九四一年一〇月、日本とポーランドの関係は断絶し、ポーランド大使館も閉鎖された。これに伴い、ロメル一家は上海に移動することを余儀なくされた。一一月の初め、ロメルは特命全権大使として上海に入り、引き続き同地におけるユダヤ難民の世話に当たった。当時、上海は日本軍の支配下にあり、日本の軍人の横暴がまかり通っていた。彼らの冷酷さは中国人だけでなく連合国の人々にも向けられていた。しかし、ロメル一家はそのような扱いを受けることはなかった。おそらく、ロメルの外交官としての立派な行ないが日本軍の中でも知れ渡っていたのであろう。

一九四二年八月、上海のポーランド大使館の閉鎖に伴って日本、中国、満州からポーランドの外交官及び領事館職員も引き揚げることになった。その際、最後の最後にポーランド国籍の民間人54名も出国できるようになったので、ロメルは45人分の席をユダヤ人難民に割り当てた。

彼は日ごろから家族に話していたことを実行したのだ。

「ユダヤ系であろうとなかろうと、少数民族であろうとなかろうと、ポーランド国民である以上、私は彼らを保護しなければならない義務がある」

最後に、杉原ビザの受給者でオスカル・シェンケルという人物の回想記の一部を紹介してロメル大使の話を締めくくりたい。同氏のロメル大使とポーランド大使館に対する深い感謝の気持ちが読む者の胸を打つ。

私は幸運にも、一九四〇年一〇月にシベリア経由で日本にたどり着いた最初のグループの中の一人となったが、明日のことも定かでない放浪の一年を過ごしたのち、ポーランド大使館の門をくぐったときは感激を抑えることができなかったことを強調せずにはいられない。

ポーランド政府、ユダヤ系アメリカ人協会からの義援金、東京のポーランド大使館員や

信任状捧呈式に臨むロメル大使（1937年10月） 写真提供：在日ポーランド大使館

富裕な在日ポーランド人たちから寄せられたカンパのおかげで、難民は宿舎と生活費を保証されたのである。

しかし、大使館にとっては、難民のためにしかるべき目的国のビザをいかに入手するかが大きな悩みの種であった。それは、どの大使館員にとっても、大変な緊張を強いられる作業の連続であったろう。ロメル大使自身がその手本となっていた。彼は、移民の新たな渡航先や定住先に関することとあらば、いかなる些細なことにも直接関わった。毎日の日課のようになっていたのは、各方面との絶え間ない連絡、難民の定住先として関わりのできた国々への斡旋、電話や手紙、などであった。それらすべてが、大使館書記官のカロル・スタニシェフスキの手に任されていた。

運命は、「東京の門」をくぐったこれらすべての人々を世界中に散り散りばらばらにした。難民の最後の一団は上海に向けて出発した。これらの人々は今、七つの海によって隔てられているが、在東京ポーランド大使館での心温まる思い出と、まるで父親のような愛情で包まれていたことに対する深い感謝とが彼らを一つに結んでいるのである。

（筆者注：因みに、杉原ビザ第４７６号にオスカル・シェンケルの名前が見られる）

第10章

杉原リストの2139人を追って

「杉原リストに記載されているのは２１３９人、杉原ビザで助けられたユダヤ人は約６０００人と言われているが、この二つの数字の乖離はどこから来ているのか？」

私はこの質問を二人のオランダ人から受けた。一人は駐日オランダ大使館の広報担当官、もう一人は前出のロバート・ズワルテンダイク氏。これまでの定説では、１枚のビザで数人の家族が移動できたとされてきた。つまり、ビザの保持者である夫とその妻と子供一人の３人家族が一単位で、それに２千を乗じて〝約６０００人〟というわけである。

当初、私もその解釈が合理的と受け止めていたので、そのように説明したのだが、２人とも到底納得がいかないようだった。

そもそも、この六千人説は一九九〇年に杉原幸子未亡人が出版した『六千人の命のビザ』が出所で、それがその後独り歩きしてしまったと言われている。当時はまだ杉原研究も進んでおらず、情報も少なかった時代であったから、そのような状況が生まれてしまったのもやむを得なかったことだと思う。

しかし、杉原千畝の勇気ある行為が日本国内のみならず外国でも評判になるに従い、内外の研究者が注目するところとなり、その関心事がこの二つの数字であった。

一例として、ロシア人文大学教授のイリヤ・アルトマン氏のケースを挙げてみよう。

同教授は、ユダヤ難民が当時のソ連領内を通過する際の手配を行なったインツーリスト（国営の旅行社）の記録を基に調査を行なった結果、杉原ビザによってソ連から日本に出国した彼らの数は上限２５００人と推定できるとしている。

また、国内では名城大学の稲葉千春教授が自身の論文（"Documents Related to Visas for Life and Historiography of Chiune Sugihara"）で「幸子夫人は杉原ビザで助けられたユダヤ難民は６０００人としているが、この数字は過大であると言われている。実際は、２０００から２５０００といったところだろう」と述べている。

ところで、前述の二人のオランダ人から宿題をもらった形となっていた私だが、さて、どうしたものかと考えてみた。そして、以下のような結論に達した。

――いろんな人がいろんな観点から意見を述べているが、いずれも推測の域を出ていないように思える。最も確かな方法は、杉原ビザをもらった２１３９人の内、果たして何人が日本にやって来て、それらの人に何人の同行者がいたのかを把握することではないだろうか――。

その前提で調査を進めることを決心した私の頭にまず浮かんだのは、前著『命のビザ、遥かなる旅路』の準備段階で入手したある資料だった。それは、昭和十六年八月三十日付の「避難猶太人退邦に関する件」と題する兵庫県知事名の文書で、それには当時神戸に滞留していたユダヤ難民約３００人のリストが付されていた。日米開戦が不可避となった状況下、どこにも行くあてのない彼らは日本政府によって強制的に上海の日本租界地に送り込まれることになっていたのである。リストの記載内容は国籍、入国月日、居住所、職業、姓名、年齢で構成されており、姓名と年齢から家族関係が一目瞭然である。文字は驚くほどきれいな手書きで、当然のことながら姓名はカタカナ、後は漢字である。

私は家族関係の箇所を凝視した。その時、これだっ！と頭の中に閃くものがあった。

というのは、オリジナルの杉原リストの主な記載内容は国籍、姓名、ビザ発給日であって、年齢もなく姓名は受給者本人のみであるので、家族構成が分からない。

兵庫県リストによって家族関係が判明！という発見に意を強くし、私は調査を始めた。だが、それはとてつもなく根気のいる作業だった。つまり、兵庫県リストの名前（カタカナ）と杉原リストの名前（アルファベット）を一つずつ虱潰しに照合していくのである。

要領は次の通りである。

兵庫県リストの１ページ目に、以下のような家族と思しき３人の名前が記載されている。

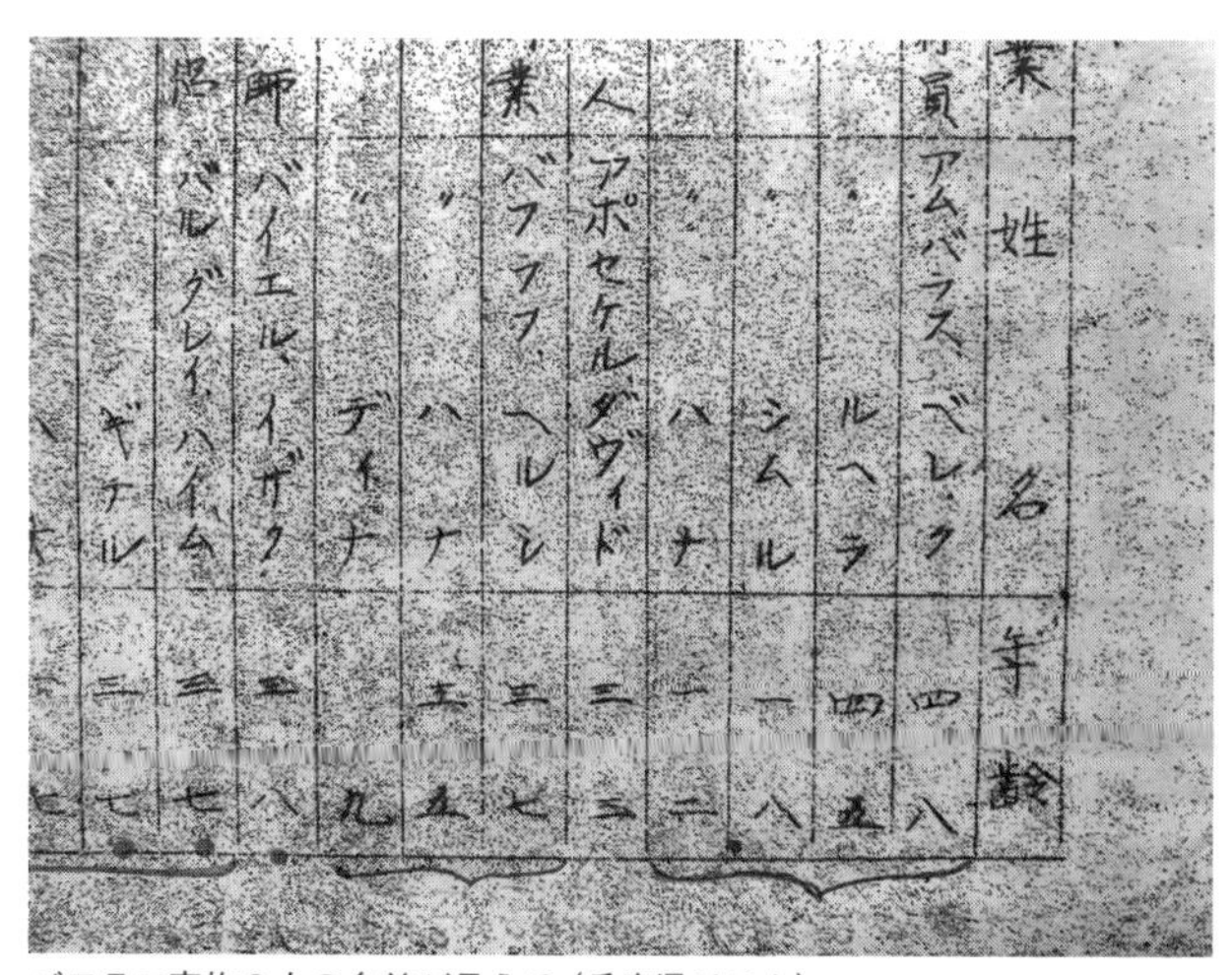

業	姓名	年齢
[illegible]員	アムバラス、ベレク	四八
〃	ルヘラ	四五
〃	シムル	一八
〃	ハナ	[illegible]二
人	アポセケル、ダヴィド	三三
業	バフラフ、ヘルシ	三七
〃	ハナ	三五
〃	ディナ	九
師	バイエル、イザク	[illegible]八
[illegible]	バルグレイ、ハイム	[illegible]七
[illegible]	ギャナル	二七

バフラフ家族３人の名前が見える（兵庫県リスト）

バフラフ　ヘルシ　（三七）
　〃　ハナ　（三五）
　〃　ディナ　（九）

そして、杉原リストにこのような名前が無いかどうかチェックする。すると、運よく次の二つの名前が見つかった。

Bachrach Hersz (No. 2013)
Bachrach Hana (No. 2014)

この二人は前記リストの二人で、夫婦とみてまず間違いないだろう。（　）内の番号は杉原リストの通し番号で、彼らは夫婦でありながら几帳面にそれぞれビザを取得している。「ディナ（九）」の名前が見当たらないのは、子供であるから父親か母親のビザに含まれていると解釈できる。

以上の作業の結果は以下の通りとなった。

ビザ所持者　　　　１２９人

家族　　　　　　　61人

非該当（杉原ビザ以外）　１３２人

次の調査資料は昭和十五年十一月二七日付福井県作成の「拾月分猶太避難民入國者表」で、前記の兵庫県リストより後になって入手したものである。こちらの方は保存状態が良かったようで、すべて手書きだが非常に鮮明に読める。記載内容は兵庫県とほぼ同様だが、職業欄があり、そこに「右妻」、「右長男」といった家族関係を示す記載があって大いに助かる。

作業の要領は兵庫県リストと同様で、次の通りである。

１ページ目に、４人の名前があるが、こちらは明確に家族と分かる。

労働者　ジャコブ　スルリム　ヘルク　（四七）

右妻　リウカ　　　　ヘルク　（四一）

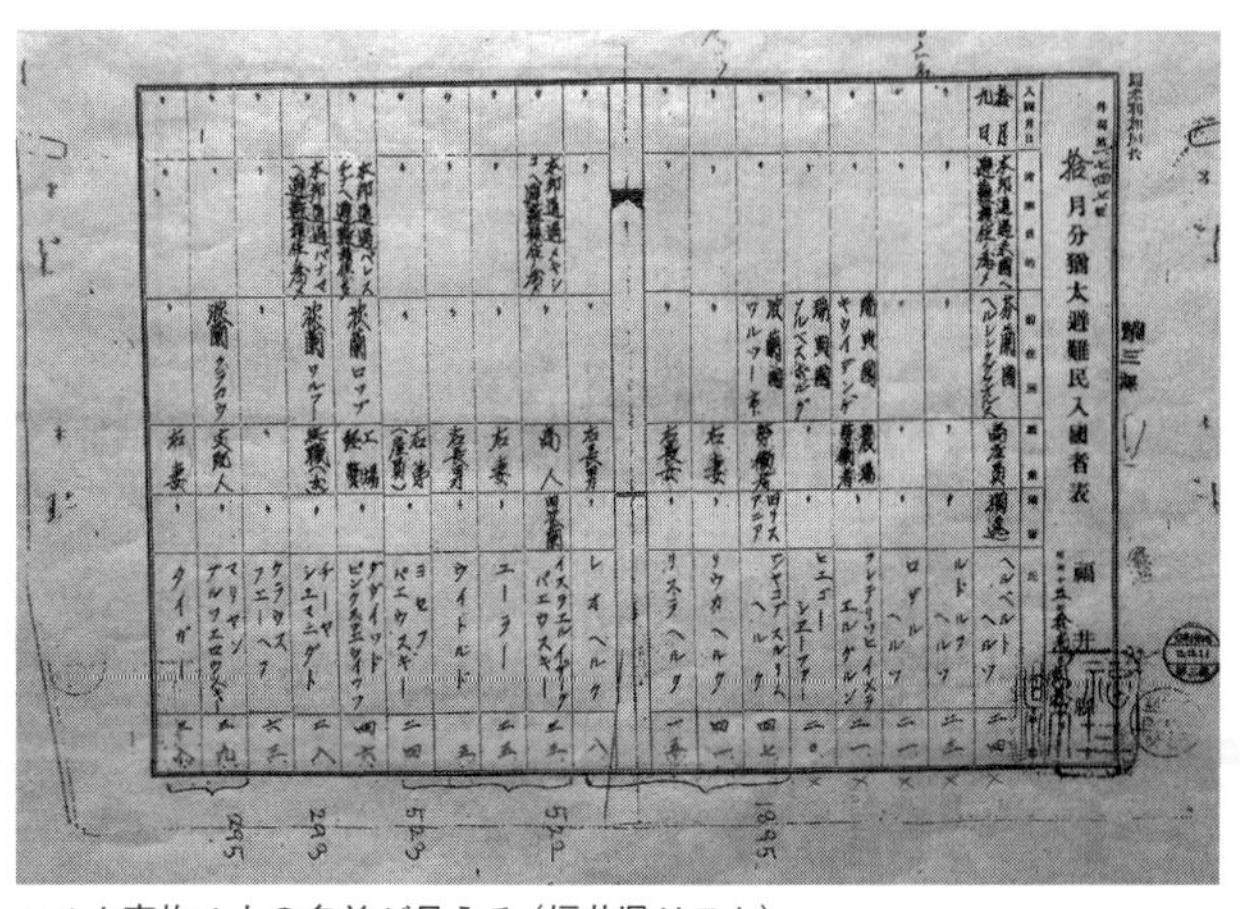
拾月分猶太避難民入國者表

ヘルク家族４人の名前が見える（福井県リスト）

右長女　リスラ　ヘルク（一五）

右長男　レオ　ヘルク（八）

次に、杉原リストと照合する。

Gerc Jakob（No. 1895）

この一家の場合は、まさしく1枚のビザで家族4人が移動できたケースである。

そして、福井県リストの調査結果は以下の通りとなった。

ビザ所持者　133人

家族　63人

非該当（杉原ビザ以外）　110人

以上の二つの調査結果から全体の傾向 ― 何人の杉原ビザ所持者に何人の同行者がいたのか ― を見るのはまだまだ無理だというこ

とは私自身十分に認識していた。

ならば、次なる手段は？　と考えたときに思い浮かんだのは、ユダヤ難民たちが日本に到着した後、アメリカをはじめとする第三国に向かうのに利用した船舶の乗船客名簿だった。

そこで、かねてから交流のある日本郵船歴史博物館に問い合わせたところ、同館では戦前、戦中、戦後の資料はＧＨＱ（連合国軍最高司令官総司令部）との関係ですべて焼却してしまったとのことだった。しかし、諦めるのはまだ早かった。同館で教わったところ、国立国会図書館のマイクロフィルムで乗船者名簿が閲覧できるとのこと。

翌日から私の国会図書館通いが始まった。膨大な情報が流れるモニターの画面を前に、まさに太平洋の大海原に漕ぎ出す小舟の心境だった。なにしろ、調査の対象となるのは昭和十五（一九四〇）年十月以降、翌年六月くらいまでの間に神戸と横浜を出港した日本郵船の船舶である。しかも、太平洋航路はサンフランシスコ行きとシアトル行きの二つがある。あらかじめ日本郵船歴史博物館から入手した当時の配船表から、同期間に就航した船の便数を数えると二つの航路を合わせて延べ40便近くにも上る。すべて「浅間丸」、「鎌倉丸」、「龍田丸」、「平安丸」、「日枝丸」といった当時日本が誇った大型優秀船なので、１回

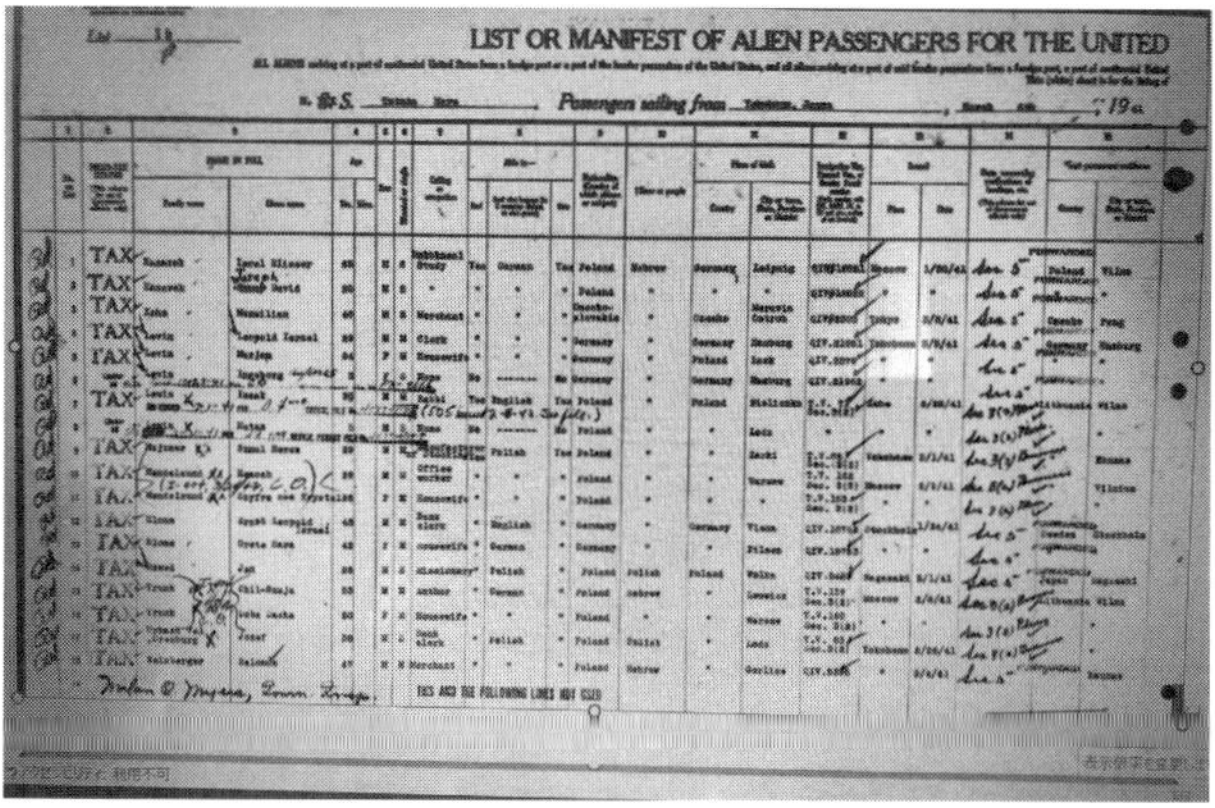
LIST OR MANIFEST OF ALIEN PASSENGERS FOR THE UNITED

1941年3月6日横浜港出発の「龍田丸」の乗船客名簿

に運ぶ船客の数は優に数百人、多い時には千人近くにも上ったであろう。

いよいよマイクロフィルムとの格闘の開始である。一つの画面には30数人の名前が現れる。闇雲に向かって行っても意味がない。まず、名前の右側の欄にある「国籍：ポーランド」と「言葉：ヘブライ語」で当たりを付ける。そして、これはと思う名前をピックアップして、杉原リストと照合する。外れる場合もあるが、当たった場合はとても嬉しい。乗船者名簿なので家族連れの場合は明確に分かって有難い。というのも、私の調査の眼目は同行者がどれくらいいるかを掴むことだからである。しかし、目がショボショボしてくるので長時間集中することができない。おそらく見落としもあっただろう。

そのようにして、1週間以上の日参で得た結果は以下の通りであった。

ビザ所持者　169人
家族　67人

さて、これら三つの調査を通じて得られた成果は以下の通りである。

杉原リストの2139人の内、日本に入国したことが確認できた人数は431人（129＋133＋169）、同行家族は191人（61＋63＋67）であった。私はいささか失望した。確認できた人数が431人ということは、杉原リスト全体のちょうど2割に過ぎない。あれだけの時間と気の遠くなるような作業の結果がわずかの2割とは！

しかし、意気消沈しかけた私に救いの手が差し伸べられた。

「えっ、北出さんはご存知なかったのですか！ジョイント（JOINT「アメリカ・ユダヤ人共同配給委員会」と称するユダヤ人救済団体）のアーカイブスで、当時の神戸ユダヤ人協会から送られてきたリストが見られますよ」

「第4章」でも登場したバンクーバー在住の高橋文さんからの一報だった。不明を恥じつつ早速ジョイントのサイトを開いた。そこには各種情報のリンクが貼られていたが、次

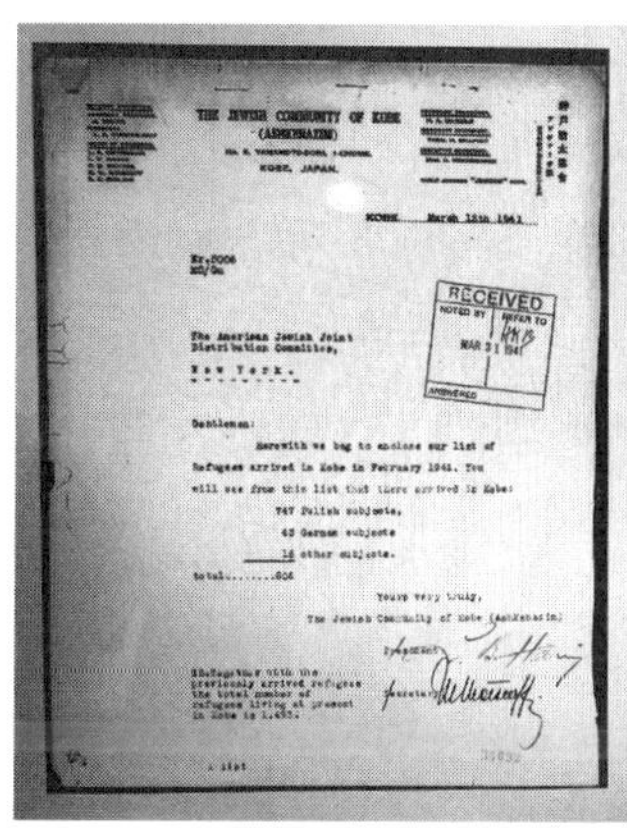
THE JEWISH COMMUNITY OF KOBE
(ASHKENAZIM)
KOBE, JAPAN.

KOBE March 15th 1941

RECEIVED
MAR 21 1941

The American Jewish Joint Distribution Committee,
New York.

Gentlemen:

Herewith we beg to enclose our list of Refugees arrived in Kobe in February 1941. You will see from this list that there arrived in Kobe:

747 Polish subjects,
43 German subjects
14 other subjects.
total.......804

Yours very truly,
The Jewish Community of Kobe (Ashkenazim)

President
Secretary

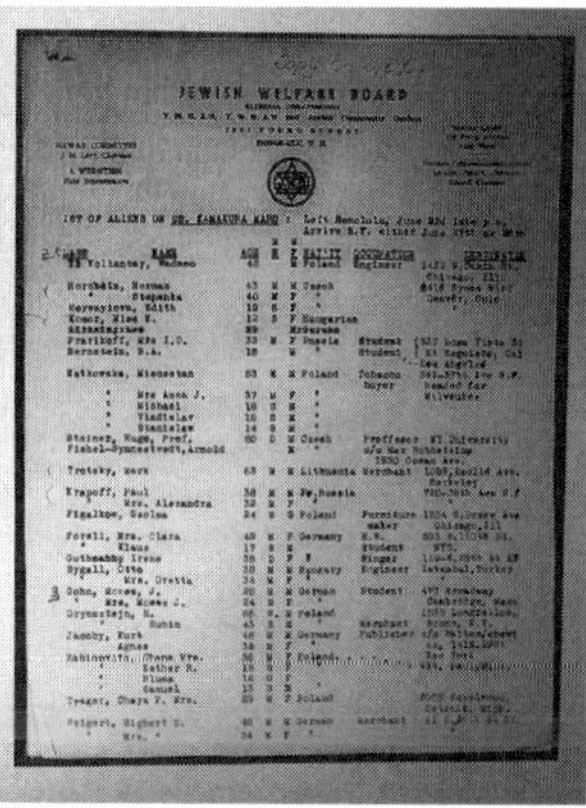
JEWISH WELFARE BOARD

神戸ユダヤ人協会が作成したユダヤ難民リスト

の二つのリストは私にとって宝の山であった。

・「日本に到着し、ジョイントの援助を受けた難民（１９４１）」

・「安全な国に向けて日本を離れたユダヤ難民（１９４１）」

タイトルから分かるように、前者は敦賀に上陸した後、神戸にやって来てユダヤ人協会の世話の下、アメリカからの援助を待っていた人々のリスト。後者は晴れて日本を離れて行った人々のリストで、利用した船舶別に掲載されている極めて貴重な資料であった。

この二つの資料のお陰で調査は格段の成果を挙げることができ、２割だった確認率も４割ほどに跳ね上がった。さらに――、

駐日ポーランド共和国から提供された、当時

上海にあったポーランド総領事館のユダヤ難民台帳によって新たに多数の杉原ビザ受給者の足取りを確認することができた。

この段階で私は、独りで行なえる調査はこの辺が限界だと感じた。そして、最終的に数字をまとめたところ、次のような結果が現れた。

ビザ所持者　約１１００人
同行家族　約　２３０人
（注：「約」としたのは、確認する上で不確実な点もあったため）

杉原リストの２１３９人の内、１１００人ということは5割強であるから、信憑性としてはまずまずかなと判断し、二〇一八年五月十九日に日本郵船歴史博物館において講演会を開催してもらった。その際、私は結論として以下のように述べた。

「以上の数字から、アルトマン教授の指摘を待つまでもなく、６０００人という数字にはやはり無理があるのではないかと思う。

杉原ビザで救われたユダヤ人は「約六千人」と断定的な言い方にせず、「数千人」と表現すればいいのではないか。

外部（諸外国）から異論の声が高まる前に、日本側から何らかの意思表示をすることが必要ではないだろうか」

反応としては、「努力に敬意を表する」との評価が多かった中で、「そこまで細かく追及する理由が分からない」といった疑問も呈された。

アルトマン教授は、二〇一七年十二月に都内の日本記者クラブで行なった講演で「６０００人とも言われてきた従来の説と大きく異なるが、決して杉原の偉業を否定するわけではない」と述べている。私とてその点は同じであり、杉原千畝を尊敬こそすれ、アンチの感情を抱いているわけではないことを強調しておきたい。

それはさておき、本章に関してもう一つ大きな展開があった。それは――、

前述の通り確認率が5割強になった時点で私は内外の一部関係者に、私が整理した「私家版 杉原リスト」を送付して参考に供した。その中に、バンクーバーに住んでいるジョージ・ブルーマン氏（ブリティッシュコロンビア大学名誉教授）も含まれている。

「親愛なるアキラ、あなたのリストを受け取り、大変嬉しく思っている。実は、私自身も数年前から独自に調査を行なっており、あなたの未確認部分のうち、かなりの部分が確認されている。時間のある時に整理して送ってあげるので少し待ってほしい」

ジョージ・ブルーマン教授

ブルーマン氏は両親が杉原サバイバーで、父親のNuta Bluman は No. 1569 のビザ受給者であった。私が二〇一二年十一月にバンクーバーを訪れた際に会って、それ以来の付き合いである。杉原リスト追跡の〝同志〟を得た思いだった。

一カ月後、約束通りリストが届いた。私の未確認部分の内、約350人分が確認されていた。その多くはユダヤ教神学校の「神学生」とラビを含む神学校関係者であった。数百名の神学生がカウナスの日本領事館に押し寄せ、杉原千畝が大量のビザをまとめて発給したことはつとに知られていた。そのことは私も知っていたので、いずれニューヨークにある「イェーシバ大学（Yeshiva University）」と呼ばれるユダヤ教の正統派大学にアプローチしてみたいと考えていたところだった。さすが、大学教授である上に、両親が杉原サバイバーであることによるブルーマン氏の調査能力の高さに脱帽せざるを得なかった。

「私が提供した情報に関しては、適当なクレジットの文言を付け加えておいてくれれば、あなたのリストに自由に使ってもらって結構だ」

私は胸が熱くなった。

では、同氏の協力によってさらに充実した私の調査結果を以下の通りまとめてみたい。

確認された杉原ビザ保持者　１４５０人
同行家族（一部、兄弟姉妹、甥姪も含む）　４０７人（内１６９人は配偶者）
夫婦関係　１２５組
神学生　２４０人
ラビを含む神学校関係者　59人

以上から私なりの結論を導き出すとすれば、以下の通りとなる。

（１）確認率は 1450÷2139≒0.68 となり、十分に信憑性が保てる数字と判断できる。
（２）ビザ保持者と同行家族の合計１８５７人と保持者１４５０人の割合は 1857÷1450=1.28 となり、これをリストの人数２１３９人に乗じると２７３９人となる。これが、杉原ビザで助けられたユダヤ人の総数と見ることが出来るが、実際には、ビザの受給者でリストに記載されていない場合もあるので、それらを勘案して、結局のところ約3000人が妥当ではないだろうか。

（3）いずれにしても、6000人説の根拠となっていた同行家族の数が予想外に少なく、これまで言われていた「1枚のビザで家族数人が移動できた」という論拠は排除すべきであると思う。

ブルーマン氏の協力もあって目標以上の結果を得ることができた今、それなりの達成感を感じていないわけではないが、他方、親しい友人から発せられた言葉が妙に心に引っかかっていることも否めない。その言葉とは――、

「多くの人たちが杉原さんのことを誇りに思っているのに、なにもわざわざ六千人ではなかったなんて言うことはないじゃないの。6000人だろうと3000人だろうと大した違いではないのだし、杉原さんの行ないは立派だったことに変わりはないのだから・・・」

さて、本章をお読みいただいた皆さんはどのようにお考えだろうか。

この後に続くリストにお目通しいただければ幸せである。

■独自調査に基づく最新「杉原リスト」（Sugihara List）

注：国略号の説明は最終頁の表下に記載

リスト No	国籍	姓	名	年齢	職業	家族関係、同行者	受給日	行先	船舶名
1	Ger.	Hopper	Siegfried	26	Mir Yeshiva		7・9		
2	Lit.	Kaplan	Moses	34		妻（24）、子供一人（7）	7・15	カナダ	
3	"	Feldberg	Owsei			（死亡）	7・16		
4	"	Fischer	Chaim			（死亡）	7・19		
5	"	Lichtenstein	Cerne			（死亡）	"		
6	"	Lewin	Moses	20	神学生		7・24	USA	
7	Ger.	Finkelstein	Louis	37	ビジネス	#8 の夫、子供一人 (3)	"	サンフランシスコ	新田丸
8	"	Finkelstein	Sophie	27		#7 の妻	"	同上	同上
9	Lit.	Sluckis	Ickus	19			"		
10	Pol.	Berland	Gregor	23			7・25	USSR	
11	"	Burger	Julius				"		
12	"	[illegible]	Jezy	35		#1822 の友人	"	スイス	
13	"	Levin	Leiba, Pessla	30		#17 の妻	"	USA	
14	"	Silberfeld	Aleksander	42	技師		7・26		
15	Lit.	Schuster	Wolf				"	USSR	
16	Hol.	Sternheim	Rachel	55		#13 の母	"		
17	Pol.	Levin	Isak	30	ラビ	#13 の夫、子供一人 (5)	"	サンフランシスコ	龍田丸
18	Hol.	Sternheim	Levi	21	神学生	#13 の弟	"		
19	Pol.	Blumenkranz	Chaim	33			"		
20	"	Klopman	Symcha	26			"		
21	"	Burstein	Jokubas			（死亡）	"		
22	"	Salomon	Ludvik	29			"	USA	
23	"	Driller	Ryszard	39			"	オーストラリア	
24	"	Driller	Mirla	52		#25 の妻	"	同上	
25	"	Driller	Rudolf	62	製造業	#24 の夫	"	同上	
26	"	Driller	Marian	34			"	同上	
27	"	Salomon	Abram	28	弁護士	#29 の弟	"	同上	
28	"	Kornbluth	Josef	32			7・27		
29	"	Reiner	Josef				"		
30	"	Lieberfreund	Georg	28	技師		"	USA	
31	"	Swieca	Michal	43	ビジネス		"	アルゼンチン	
32	"	Herzig	Marien	52		#33 の妻	"		
33	"	Herzig	David	56		#32 の夫、子供一人 17)	"		
34	"	Stern	Rudolf	19		#38 の弟	"	メルボルン	鹿島丸
35	"	Grosman	Bencjon	34			"		
36	"	Gofman	Klara	50		#37 の妻。来日せず（孫がフランスに在住）	"	パレスチナ	
37	"	Gofman	Simon	65		#37 の夫。来日せず	"	同上	
38	"	Stern	Mouceu	33		#34 の兄	"	メルボルン	鹿島丸
39	"	Flanz	Benjamin	38	商人	妻 (36)、子供一人 (5)	"		
40	"	Stein	Emanuael	35		#42 の夫	"	オーストラリア	
41	"	Stein	Scheinolel	59		#40 の母	"	同上	
42	"	Stein	Rosa	25		#40 の妻	"	同上	
43	"	Apeleig	Binem	29			"	チリ	

44	〃	Migdal-Perlitsch	Pola	31		#45 の妻	〃		
45	〃	Perlitsch	Samson	38	技師	#44 の夫	〃		
46	〃	Pizyc	Menachen	30	事務員		〃		
47	〃	Chazan	Anna	48		#49 の妻	〃	メルボルン	鹿島丸
48	〃	Chazan	Emma	20		#49 の娘	〃	同上	同上
49	〃	Chazan	Dovid	49	製造業	#47 の夫、子供２人 (15,12)	〃	同上	同上
50	〃	Morgenstern	Malka	32		#53 の妻	〃		
51	〃	Berenbaum	Lejzor	40		#52 の夫。子供一人	〃	チリ	
52	〃	Berenbaum	Roza	30		＃ 51 の妻	〃	同上	
53	〃	Morgenstern	David	38		#50 の夫、子供一人（8）	〃		
54	〃	Davidovitsch	Lenco				〃		
55	〃	Aronowski	Judelis				〃		
56	〃	Landau	Ignacy	42		#57 の夫	〃	USA	
57	〃	Landau	Mariem	42		#56 の妻	〃	USA	
58	〃	Jozef	Lewkowicz	35	製造業		〃	南米	
59	〃	Szpilfogel	Jakow				〃	USA	
60	Ger.	Berliner	Ludwig	32	弁護士	妻（29）	〃	USA	
61	Pol.	Swislocki	Abraham	34	ジャーナリスト	#62 の夫、子供一人（5）	〃	ベルギー	
62	〃	Swislocki	Masza	31		#61 の妻	〃	同上	
63	〃	Szpektorow	Dawid	66	商人		〃		
64	〃	Gliksman	Aleksander				〃		
65	〃	Klajman	Izydor	37	ビジネス	妻 (35)	〃	ビルマ	
66	〃	Krampel	Wilhulm	41	商人	妻（29）、子供一人	〃	オーストラリア	
67	〃	Kryger	Romualda	22		#68 の妻	〃		
68	〃	Kryger	Henrik	23	弁護士	#67 の夫	〃		
69	〃	Postuszny	Kazimir	17	学生	#73 の息子	7・29	ビルマ	大洋丸
70	Lit.	Dambrauskiene	Sima				〃		
71	Pol.	Rozenblat	Mira	26		#72 の妻	〃	メルボルン	大洋丸
72	〃	Rozenblat	Stanislaw	28	弁護士	#71 の夫	〃	同上	同上
73	〃	Postuszny	Marian	57		#69 の父	〃	ビルマ	同上
74	〃	Jagtom	Baruch				〃		
75	〃	Gufnagel	Mosei	32		妻（32）	〃		
76	〃	Pizic	Heinrich	43			〃		
77	〃	Schor	Berl	13	生徒		〃		
78	〃	Zauberman	Irena	39		#79 の妻	〃		
79	〃	Zauberman	Alfred	35		#78 の夫	〃		
80	〃	Kamienecky	Saweli	29		#83 の息子	〃	カナダ	
81	〃	Reznik	Jankel	53	技師		〃	USA	
82	〃	Kamienecky	Viktor	17		#83 の息子	〃	カナダ	
83	〃	Kamienecky	Josef	48		#80、#82 の父	〃	カナダ	
84	〃	Kamenecka	Marila				〃		
85	〃	Szporn	Joahim	64	商人	妻（63）、#2132 の父	〃	ブラジル	
86	〃	Glass	Zigizmund	22	事務員		〃	カナダ	氷川丸
87	〃	Glass	Georgii	?			〃	カナダ	
88	〃	Langman	Mecyslaw				〃		
89	〃	Szpiro	Kopel	37		妻（39）	〃		
90	〃	Naida	Grzegorz	68			〃		

91	"	Guterman	Berta				"		
92	"	Guterman	Dora	35		#93の妻	"		
93	"	Guterman	Josef	38		#92の夫	"		
94	"	Weinsberg	Berthold	55		子供一人（15）	"	カナダ /USA	氷川丸
95	"	Plockier	Irene	34		#145の妻	"	ブラジル	
96	"	Spir	Israel	34	弁護士	妻（32）、子供一人（6）	"	オーストラリア	鹿島丸
97	"	Kerner	Stanislaw	43	物理学者	#103の夫、子供一人 (9)	"	オーストラリア	
98	"	Lichtenstein	Mieczyslaw	29	事務員	#106の夫、子供一人	"	オーストラリア	
99	"	Lichtenstein	Zelman	36	事務員	妻（41）、子供一人（7）	"	カナダ	
100	"	Szweber	Paulina	63			"		
101	"	Zilberfenig	Elena				"		
102	"	Zilberfenig	Jakob				"		
103	"	Kerner	Sonja	32		#97の妻	"	オーストラリア	
104	"	Belogusky	Calel	42	商人		"		
105	"	Dybczynska	Halina				"		
106	"	Lichtensztejn	Rysza	26		#98の妻	"	オーストラリア	
107	"	Zilberfenig	Juli				"		
108	"	Zilberfenig	Isak				"		
109	"	Frank	Laser	35		妻 (31)、子供一人 (12)	"	オーストラリア	
110	"	Schtein	Abram				"		
111	"	Znamiriwska	Ester	17		#113の娘	"		
112	"	Znamirowska	Rochelia	?		#113の妻	"		
113	"	Znamirowsky	Meer	47		#111の父、#112の夫	"		
114	"	Ferscht	Moses	30	商人		"		
115	"	Labensky	Teodor	36	ジャーナリスト	#117の夫	"	南米	
116	"	Wolanow	Syma	38		#118の妻	"		
117	"	Labensky	Margarete	33		#115の妻	"	南米	
118	"	Wolanow	Jakob	46		#116の夫、子供2人(17,19)	"		
119	"	Schwarzbard	Adolf				"		
120	"	Schwarzbard	Helena				"		
121	"	Steinbach	Mieszyslaw	55	製造業	子供２人 (?,?)	"		
122	"	Kupferblum	Feiga	43		#126の妻	"		
123	"	Zeimer	Artur	63	ジャーナリスト	#124の夫	"		
124	"	Zeimer	Franciska	52		#123の妻	"		
125	"	Kupferblum	Ludvik	16		#126の妻息子	"		
126	"	Kupferblum	Josef	48		#122の夫、子供２人 (8,9)	"		
127	"	Kupferblum	Wiktor	22		#126の息子	"		
128	"	Ostrower	Abram	40		#131の夫、妻 (38)、子供一人 (6)	"		
129	"	Nusbaum	Marian	43		#130の夫	"		
130	"	Nusbaum	Regina	42		#129の妻	"		
131	"	Ostrower	Karolina	38		#128の妻	"		
132	"	Weiss	Isak				"		
133	"	Blecheisen	Zygmund	40	製造業		"	メルボルン	鹿島丸
134	"	Ganger	Josef	22		#135の息子	"		
135	"	Ganger	Izidor	49	書店経営	#134の父、妻 (45)	"		

136	"	Weinfeld	Moses				"		
137	"	Stein	Meier	31			"		
138	"	Stein	Esua	31		(#457と同一?)	"		
139	"	Freudenberg	Fania	35		良人 Tadeusz, 52)	"	ブラジル	
140	"	Berliner	Karol	36	技師	妻 (30)	"		
141	"	Kirsch	Laura	50		#142の妻	"	カナダ	氷川丸
142	"	Kirsch	Leiba	41	歯科医	#141の夫	"	同上	同上
143	"	Gostynska	Rejzla	33		#144の妻	"	メルボルン	鹿島丸
144	"	Gostynski	Hilel	33	ジャーナリスト	#!$#の夫、子供一人（4）	"	同上	同上
145	"	Plockier	Aron	37	技師	#95の夫	"	ブラジル	
146	"	Weinstein	Adolf	71		妻（48）	"	カナダ	平安丸
147	"	Neufeld	Max	36	織物商	妻（39）	"	イスラエル	
148	"	Kerner	Elsa	29		#149の妻	"	USA	
149	"	Kerner	Zygmunt	40	弁護士	#148の夫、子供一人(5)	"	USA	
150	"	Kalisky	Jakob	46		(#2009と同一?)	"	カナダ	
151	"	Friedlander	Rudolf	30	自動車技師		"	カナダ	
152	"	Szapiro	J. Jerzy	28	弁護士		"		
153	"	Schkurnik	Heinrich				"		
154	"	Schkurnik	Anjuta				"		
155	"	Glass	Mecyslaw	22	事務員		"	カナダ	
156	"	Altminc	Ewa	14		#159の娘	"		
157	"	Altminc	Josef	43		#158の夫、#156の父	"		
158	"	Altminc	Laia	38		#157の妻	"		
159	"	Glass	Mecyslaw	37		#524の夫、妻(32)、子供一人（10）	"	メルボルン	カンベラ丸
160	"	Glass	Marian	29	弁護士	#165の夫	"	ドミニカ共和国	鎌倉丸
161	"	Leppert	Maria				"		
162	"	Ainstein	Moise				"		
163	"	Ainstein	Halina				"		
164	"	Mosewicka	Helena	60		#434の母	"	サンフランシスコ	浅間丸
165	"	Glass	Wanda	28		#160の妻、子供一人（6）	"	同上	鎌倉丸
166	"	Glass	Semen	33		#167の夫、#246の息子	"	同上	同上
167	"	Glass	Maryla	24		#166の妻、供2人	"	メルボルン	鹿島丸
168	"	Sperzel	Chaja				"		
169	"	Ipergel	Chil				"		
170	"	Sapir	Edda	40		夫（40）、子供一人（6）	"		
171	"	Amsterdamski	Szoel-Chono	29			"	USA	
172	"	Aschkenasy	Henryk				"		
173	"	Aschkenasy	Cypryana				"		
174	"	Parnas	Roza				"		
175	"	Szatensztein	Wladyslaw	47	教授	#2012の夫、#2011の父、子供一人（11）	"	USA	
176	"	Szaja	Mordka	37	洋服仕立て		"		
177	"	Szapiro	Symcha-Binem	33	機械工		"	ビルマ	大洋丸

178	"	Herman	Adolf	56	事務員		"		
179	"	Distler	Emanuel	53	医師		"	カナダ	平安丸
180	"	Goldberg	Jakob-Chackiel	49	弁護士		"	同上	同上
181	"	Aronson	Ludwik	55	銀行員	妻	"		
182	"	Goldman	Janina	38	事務員		"		
183	"	Poznanski	Majryc				"		
184	"	Langman	Ruchla				"		
185	"	Langman	Chaim				"		
186	"	Grossinger	Abraham	41	事務員		"	カナダ	平安丸
187	"	Heilpern	Ernestyna	40		#188 の妻	"		
188	"	Heilpern	Ludwik	57		#187 の夫	"		
189	"	Pat	Brucha	25		#200 の妻、#1832 の姉	7・30	カナダ	
190	UK	Tamulis	John				7・24		
191	"	Gray	Albina				7・27		
192	Lit.	Garberis	Zelmanas				7・29		
193	"	Ruskinas	Izaakas				7・28		
194	"	Varants	Benjamin				7・30		
195	Pol.	Porszniej	Jan				7・26		
196	"	Wasser	Chaim	52	事務員		"		
197	"	Bulhak	Antoni	43		#198 の夫	"	カナダ	
198	"	Bulhak	Wanda	?		#197 の妻	"	同上	
199	"	Serko-Serkin	Stanislaw				7・31		
200	"	Pat	Emanuel	28	医師	#189 の夫、#1975 の息子	7・30	カナダ	
201	"	Landau	Boleslaw				"		
202	"	Landau	Henryk				"		
203	"	Poznanska	Mordka	31	事務員	#1617 の夫	"	上海	神戸丸
204	"	Akawie	Jozef	38	製造業		"	USA	
205	"	Kozakiewicz	Icko	52	製造業	妻 (46)、子供 2 人 (18,12)	"	オーストラリア	
206	"	Racimora	Jeruchim	33			"		
207	"	Frajman	Igusz				"		
208	"	Stepak	Icko				"		
209	"	Market	Fejga	20			"	USA	平安丸
210	"	Matecki	Edmund				"		
211	"	Rabinowicz	Chana	43		#212 の妻	"	サンフランシスコ	鎌倉丸
212	"	Rabinowicz	Guszel	54	#211 の夫	#211 の夫、子供一人 (9)	"	同上	
213	"	Schagrin	Genrik	39	石鹸製造	妻 (38)	"		
214	"	Sulfrid	Janina				"		
215	"	Sulfrid	Matilda	37		#217 の妻	"	ビルマ	
216	"	Sulfrid	Estera	46			"	同上	
217	"	Sulfrid	Ruwim	41	事務員	#215 の夫	"	同上	
218	"	Sulfrid	Josef	26			"	同上	
219	"	Moskowier	Mojsiej				"		
220	"	Bronowska	Romana	?		#221 の妻	"	カナダ	平安丸
221	"	Bronowski	Henrik	35	ジャーナリスト	#220 の夫	"	同上	同上
222	"	Gelbfisch	Abram	28	タルムード学校	妻 (29)、娘 (0)	"	USA	
223	"	Goldberg	Wilhelm				"		
224	"	Imber	Jakob	40		妻 (32)	"		
225	"	Sokol	Abram	52	製造業	#810 の夫	"		神戸丸
226	"	Wajsbrem	Oskar	32	技師	妻 (19)	"		

227	"	Ehrlich	Mandel	45	農学者		"	南アフリカ	神戸丸
228	"	Walach	Abraam	31	農業		"		
229	"	Cypis	Aleksander			(死亡)	"		
230	"	Ochrimsky	Meer	50	事務員	同伴者３人(35,48、32)	"	メルボルン	鹿島丸
231	"	Cypis	Mojzese	25		(死亡)	"		
232	Lit.	Cirinskis	Gercas	48			"		
233	Pol.	Goldberg	Hermina	42		(死亡？)	"		
234	Lit.	Abramowitsch	Isak				"		
235	"	Tarie	Abram			(死亡？)	"		
236	"	Abramowitsch	Soloem			(死亡？)	"		
237	Pol.	Kestenberg	Chil	53		妻（47)、子供一人（17)	"	フランス	
238	"	Oskromsky	Josef				"		
239	"	Klementowsky	Girsch				"	イスラエル	
240	"	Gutman	Moses	44	事務員		"	上海	
241	"	Stein	Abram	39			"		
242	"	Lindwaser	Uehuda	33	製造業	妻（30)	"	オーストラリア	
243	"	Mann	Leib	50	製造業		"	カナダ	
244	"	Hufnagel	Anatol	36	商人	妻（22)	"	エクアドル	
245	"	Oberman	Syma	31		#256 の妻	"	南アフリカ	あふりか丸
246	"	Glass	Julian	67	商人	妻、#166 の父	"	南アフリカ	
247	"	Stein	Schabse				"		
248	"	Alenberg	Josef	25	Yeshiva		"		
249	"	Szladowski	Chaim				"		
250	"	Wofsi	Regina	27			"	USA	
251	"	Wofsi	Isak	33			"	USA	
252	"	Spilreim	Jan	50		妻(49)、子供一人(13)	"		
253	"	Kohn	Aron	45	製造業		"	オーストラリア	
254	"	Prywin	Josef				"		
255	"	Stein	Moses	29			"		
256	"	Oberman	Israel	53	商人	#245 の妻	"	南アフリカ	あふりか丸
257	"	Feit	Leon	33	弁護士		"		
258	"	Krukowska	Alice	42		#296 の妻	"	USA	神戸丸
259	"	Milgrom	Ginga	30	美容師		"		
260	"	Bernstein	Szimin	37	弁護士		"		
261	"	Tausk	Kaspel	22	学生		"	同上	大洋丸
262	"	Tausk	Abram				"		
263	"	Lederman	Icek	45	製造業		"		
264	"	Stein	Bernhard			妻(?)	"	ブラジル	
265	"	Spiro	Wigdor	48	製造業	#359 の夫、子供一人(9)	"		
266	"	Torowitsch	Bencion				"		
267	"	Waisfeld	Jankel	41			"		
268	"	Schleicher	Julusz	40	事務員		"	カナダ	平安丸
269	"	Munz	Felicia	49		#270 の妻	"	同上	同上
270	"	Munz	Rudolf	?		#269 の夫	"	同上	同上
271	"	Graff	Sara	44		#272 の妻	"	同上	同上
272	"	Graff	Ignacy	41	商人	#271 の夫	"	同上	同上
273	"	Fukielan	Abram				"		
274	"	Lejzor	Fain	35	薬剤師		"	南アフリカ	

275	"	Frenkiel	B enjamin-Wolf	33	織物商	#282の夫	"	ニュージーランド	
276	"	Frenkiel	Majer-Szachana	43	事務員		"	ニュージーランド	
277	"	Grynsztein	Michal	29	弁護士		"	ニュージーランド	
278	"	Gordon	Samson	45	製造業	#279の夫、子供一人（11）	"	USA	
279	"	Gordon	Rozalia	40	.	#278の妻	"	USA	
280	"	Brzezinski	Adam	43		（死亡）	"		
281	"	Gordon	Szepsel	39	商人		"	USA	
282	"	Frenkiel	Perla	25		#275の妻、子供一人(4)	"		
283	"	Grynsztejn	Ruwin	42		#284の息子	"	サンフランシスコ	鎌倉丸
284	"	Grynsztejn	Chaim	66		#283の父	"	同上	
285	"	Feldblum	Szymon			子供一人	"		
286	"	Feldblum	Roza				"		
287	Lit.	Zimonas	Jankielis			（死亡？）	"		
288	Pol.	Szpigelman	Marek	16		#289の息子	"	フィリピン	龍田丸
289	"	Szpigelman	Icek	54		#288の父	"	同上	同上
290	"	Ginzberg	Maks	42	技師		"	上海	
291	"	Kow	Nikodem	46	商人	#292の夫	"		
292	"	Kow	Irena	31		#291の妻	"		
293	"	Szmaragd	Chawa	28			"		
294	"	Fefer	Czarna				"	USA	
295	"	Przelomski	Marian	37		夫（38）	"		あふりか丸
296	"	Krukowski	Edward	40	#258の夫	#258の夫、子供２人（11,3）	"	USA	神戸丸
297	"	Birenbaum	Mortcha	32	装飾業		"		同上
298	"	Deutsch	Walter		製造業		"	ビルマ	大洋丸
299	"	Salomon	Boruch-Szmul	33	技師	#27の兄、#599の従兄	"	インド/USA	
300	"	Flancrejch	Matan	30	商人		"		
301	"	Sztejnberg	Aleksandr				"		
302	"	Taub	Szmul-Eliasz	39	神学生		"		
303	"	Kawa	Mieczyslaw	43	自動車工		"	エクアドル	長崎丸
304	"	Harenberg	Henryk	46	事務員		"		
305	"	Lichtenbaum	Wladyslaw	54	弁護士	#306の兄	"	カナダ	日枝丸
306	"	Lichtenbaum	Mieczyslaw	50	運転手	#305の弟	"	同上	同上
307	"	Spira	Izrael			（#96と同一？）	"		
308	"	Szmulewicz	Icek-Wolf	39	商人		"	USA	長崎丸
309	"	Buka	Janusz	50	弁護士、図書館	#310の夫	"	カナダ	
310	"	Buka	Janina	37	ドレスメーカー	#309の妻	"	カナダ	
311	"	Gorodecki	Aba	35	商人	子供４人	"	USA	鎌倉丸
312	"	Gorodecki	Izrael	52			"	USA	
313	"	Frajman	Marjan	19	商人		"		
314	"	Horowicz	Joachim	35	弁護士	#315の夫	"	カナダ	平安丸
315	"	Horowicz	Irena-Rachela	32		#314の妻	"	同上	同上
316	"	Cenzor	Gustawa	61		#1357の母	"	メルボルン	鹿島丸
317	"	Baum	Josef	39			"		
318	"	Reznik	Fejga	27	教師		"	USA	
319	"	Beker	Izrael	32	事務員		"		
320	"	Leib	Wolf nisen				"		

321	"	Taub	Abram-Leib	44	装飾業		"	USA	
322	"	Bekerman	Morchaj	28	Yeshiva		"	USA	
323	"	Zylberlast	Henryk				"		
324	"	Bieberstein	Szymon	46	製造業		"	USA	長崎丸
325	"	Bieberstein	Jakob	41	教師	妻（28）	"	エクアドル	同上
326	"	Bock	Herman	30	技師	妻（26）	"	アルゼンチン	
327	"	Zylbersztein	Herman	27	会社員	妻	"	オーストラリア	
328	"	Kreiswirth	Chaim		ラビ		"	パレスチナ	
329	"	Wajdenfeld	Filip	43		#341 の夫、子供（15）			
330	"	Graudenz	Samuel	24	学生			オーストラリア	
331	"	Baum	Leiba	38					
332	"	Herman	Stanislaw						
333	"	Zmigrod	Salo	66	商人				
334	"	Iljutowitsch	Idel	54		#720 の夫		メルボルン	鹿島丸
335	"	Skowronek	Estra						
336	"	Skowronek	Josef	29				USA	
337	"	Koltou	Laib						
338	"	Znamirowska	Helena	22		#113 の娘			
339	"	Goldman	Bronislawa	18	学生				
340	"	Goldman	Isak					オーストラリア	
341	"	Wajdenfeld	Eugenia	44		#329 の妻			
342	"	Tenenbaum	Jona						
343	"	Eisenberg	Abram			(死亡?)			
344	"	Rozenbaum	Teodor	34	事務員			南米	大洋丸
345	"	Mikulicki	Ela	56		#348 の妻			
346	"	Barasz	Marija	66		#347 の妻		ベネズエラ	
347	"	Barasz	Lejzer	67	商人	#346 の夫		同上	
348	"	Mikulicki	Daniel	51	マネジャー	#345 の夫			
349	"	Kornbluth	Anna						
350	"	Barasz	Stefan	36	弁護士			ベネズエラ	
351	"	Grinbaum	David	28	テーラー	妻(?)、子供一人(?)		USA	
352	"	Binderman	Adolf	40	弁護士			南アフリカ	まにら丸
353	"	Pikielny	Michail	21					
354	"	Seidenman	Ludvik	34					
355	"	Margulis	Saul	41	ラビ			USA	
356	"	Malberg	Maurycy						
357	"	Malberg	Halina						
358	"	Rejchman	Majer	37	弁護士			イスラエル	
359	"	Schpiro	Genja	35		#265 の妻			
360	"	Licek	Josef	27	Yeshiva			カナダ	
361	"	Malin	Mejer	26	神学生	#939 の夫		USA	
362	"	Levin	Boruch	21	学生			英国	
363	"	Nowinska	Irena	41		#597 の妻			
364	"	Mendelson	Szlama	53		#449 の夫		USA	
365	"	Katz	Emil	61		#366 の夫		上海	長崎丸
366	"	Katz	Otilija	?		#365 の妻		同上	同上
367	"	Landau	Mosch	?				パレスチナ	
368	"	Szrajer	Henrik	36		#369 の夫、#473 の息子		サンフランシスコ	鎌倉丸
369	"	Szrajer	Matilda	28		#368 の妻		同上	同上
370	"	Halperson	Aleksander	36	技師				
371	"	Barbanelska	Roza	42					

372	"	Barbanelski	Berek						
373	"	Kowalski	Moryc	52	商人			オーストラリア	
374	"	Frankiel	Schabase	31		#376の夫		サンフランシスコ	龍田丸
375	"	Baner	Dawid	33					
376	"	Frankiel	Szarlota	33		#3474の妻		サンフランシスコ	龍田丸
377	"	Braunrot	Jakob	25					
378	"	Bronrot	Nunseb Icek	29					
379	"	Sapir	Jakobsx	37	セールスマン	#386の夫、子供一人 (6)	"	オーストラリア	
380	"	Piekarz	Boruch	32	事務員		"	南アフリカ	まにら丸
381	"	Rozenholc	Aleksander	41			"		
382	"	Speiser	Regina	32			"		
383	"	Nusbaum	Josef	39			"		
384	"	Obertynska	Hanna				"		
385	"	Sternberg	Leon	48		妻（42）、息子 19)	"	オーストリア	
386	"	Sapir	Tola	39	編み物	#379の妻	"	オーストラリア	
387	"	Halpern	Irena	[illegible]	経済評論家	#388の妻	"	南米	
388	"	Halpern	Jerzy-Jan	34	医師	#387の夫	"	同上	
389	"	Kubicka	Maria-Janina				"		
390	"	Kubicki	Lubwicz				"		
391	"	Kubicka	Zofia				"		
392	"	Landman	Mojsiej	46	商人		"	YSA	
393	"	Miednecki	Ber	30		#485の息子	"	南アフリカ	
394	"	Emanuel	Ajchenblat	53		#404の夫	"		
395	"	Siemiatycz	Mordcha	33		#396の夫	"		
396	"	Siemiatycz	Hinda	29		#395の妻	"		
397	"	Majer	Kohn	21	神学生		"	USA	
398	"	Zarachowicz	Srol-Ejna				"		
399	"	Wilner	Aria	33	パン職人	#400の夫、子供一人 (4)	"		
400	"	Wilner	Regina	33		#399の妻	"		
401	"	Bach	Jozef	23	事務員		"	USA	
402	"	Sadowski	Benjamin	60	森林保全		"		
403	"	Zylberman	Rubin	27	事務員	妻（26）	"	ビルマ	
404	"	Eichenblatt	Elka	53		同伴者 (Emanuel)	"	USA	
405	"	Zilberman	Lipa	25	商人	妻（26）	"	オーストラリア	
406	"	Kaptan	Szmul	44			"		
407	"	Menachem	Frydchai Hersz	33			"		
408	"	Trokenheim	Hirsz Zelic				"		
409	"	Trokenheim	Jankiel				"		
410	"	Neugoliberg	Izydor-Iszael				"		
411	"	Gutgeld	Wolf				"		
412	"	Gotesman	Artur Marcell	22	学生		"	南米	鎌倉丸
413	"	Wyszkowski	Abram	31	ラビ	妻（?）	"	メルボルン	鹿島丸
414	"	Kaplan	Jerzy				"		
415	"	Garden	Boruch Gert	19	神学生	Lublin Yeshiva	"	USA	
416	"	Wilnier	Aleksander	45			"		
417	"	Gutgeld	Naten-Majer				"		

418	"	Gutgeld	Lewi				"		
419	"	Gutgeld	Nuchim				"		
420	"	Leszczynska	Helena	22			"		
421	"	Fiszhaut	Salomon Henryk	37	医師	#422 の夫	"	サンフランシスコ	日枝丸
422	"	Fiszhaut	Paulina	29	#421 の妻	#2078/2080 の娘	"	同上	同上
423	"	Liberman	Jakob	21		#428 の長男、子供一人	"		
424	"	Liberman	Riwka	42		#428 の妻	"		
425	"	Liberman	Tamara				"		
426	"	Lasdun	Ernst	47	商人	#427 の夫、子供２人	"	エクアドル	
427	"	Lasdun	Lisbeth	37		#426 の妻	"	同上	
428	"	Liberman	Mejer	46		#424 の夫、娘(8)	"		
429	"	Kamien	Mendel	27	学生		"	メルボルン	鹿島丸
430	"	Lajzerowicz	Ewa	48		#431 の妻	"	南米	
431	"	Lajzerowicz	Leopold	45	医師	#430 の夫、子供２人（12,9）	"	南米	
432	"	Lewenson	Grzegorz			#433 の夫	"		
433	"	Lewenson	Anna			#432 の妻	"		
434	"	Mosewicki	Anatol	27	技師	妻（22）、#164 の息子	"	ドミニカ共和国	浅間丸
435	"	Glass	Jakob				"		
436	"	Wilenski	Szymel	43	Yeshiva	#437 の夫	"	ニュージーランド	
437	"	Wilenska	Helena	51		#436 の妻	"	同上	
438	"	Magazanik	Bencjan	37	事務員		"	オーストラリア	
439	"	Blattberg	Wolf	45	教師	#443 の夫、子供一人（12）	"	サンフランシスコ	クリーブランド号
440	"	Weissbard	Michal	41	事務員	(#638 と同一?)	"	ブラジル	
441	"	Kalmanowicz	Alfred	28			"		
442	"	Wajnstejn-Fajwuzycki	Icko	52		妻（48）、子供(?)	"		
443	"	Blattberg	Mariem	42		#439 の妻	"	サンフランシスコ	クリーブランド号
444	"	Kaplan	Szula	44			"		
445	"	Czyz	Jankiel-Newach	40	神学校教師	妻（28）、子供(3)	"	USA	
446	"	Silwan	Wincenty	44	ライター		"		
447	"	Klejman	Natan	35	技師		"	USA	
448	"	Klejman	Moisze Abraham	34	技師	妻（?）、#501,#447 の弟	"	USA	
449	"	Mendelson	Chawa	47		#364 の妻	"	USA	
450	"	Gutgeld	Mojzesz	29	弁護士		"	ニュージーランド	
451	"	Sroka	Chaim Srul	31			"	パレスチナ	
452	"	Feldberg	Mojszes Wulf	28		#545 の兄	"	USA	
453	"	Klajn	Majer	27			"		
454	"	Warhaftig	Nauma	25		#455 の妻	"	カナダ	氷川丸
455	"	Warhaftig	Zorach	34		#454 の夫、子供一人（1）	"	同上	同上
456	"	Luzer	Chaim	28			"		
457	"	Sztajn	Esuja			(#138 と同一?)	"		
458	"	Gorowitz	Mojsze-Mejer			(#1678 と同一?)	7・31		

459	"	Hafftka	Aleksander	50	弁護士	#2093 の夫、子供一人（9）	"	カナダ /USA	日枝丸
460	"	Szlosberg	Fryda				"		
461	Ger.	Thalhofer	Nelly	28		#602 の妻	"	USA	
462	Pol.	Taub	Szoel	54	ラビ (mir yeshiva)	妻 (43), 子 4 人 (16, 14, 10, 3)	"	サンフランシスコ	浅間丸
463	"	Kamieniecki	Josef	33	ジャーナリスト		"	オーストラリア	
464	"	Apfelbaum	Rywka	43			"	英国	
465	"	Helman	Jerzy	44		子供（18）	"	カナダ	
466	Lux.	Nast	Werner Rodolf	21		#472 の息子	"	USA	
467	"	Sinasohn	Kaethee	52		#472 の妻	"	USA	
468	Pol.	Kammerman	Geprich				"		
469	"	Apfelbaum	Szilma	19		#464 の息子	"	英国	
470	"	Apfelbaum	Jakow	21		#464 の息子	"	英国	
471	"	Helman	Boleslaw	45		息子（15）	"		
472	Lux.	Sinasohn	Erhard Friedrich	56		#467 の夫	"	USA	
473	Pol.	Szrajer	Berta	65			"	サンフランシスコ	鎌倉丸
474	"	Halpern	Todres	35	宝石商		"		
475	Ger.	Seidl	Artur	49	技師		"	USA	
476	Pol.	Schenker	Oskar	40	機械工	#477 の弟	"	チリ	
477	"	Schenker	Alfred	42		#476 の兄	"	同上	
478	"	Schenker	Ernestyna				"		
479	"	Schenker	Gizela				"	USA	
480	"	Schenker	Amalia				"		
481	"	Obertynska	Maria				"		
482	Lit.	Kahanowicz	Iser			(死亡 ?)	"		
483	Pol.	Szapiro	Anna	31		#484 の妻	"		神戸丸
484	"	Szapiro	Jakob	46		#483 の夫、子供 2 人 (9,5)	"		同上
485	"	Miedwecka	Basza	51		#398 の父	"	南アフリカ	
486	"	Papierczyk	Pinkus	29	商人		"	USA	
487	"	Chaim-Szoul	Bronet	32	セールスマン	妻（29）	"	南米	上海丸
488	"	Lustig	Amalia				"	オーストラリア	
489	"	Sommer	Abraham	30	材木商	妻（34）、子供一人（3）	"		
490	"	Binem	Symcha	?			"	南アフリカ	
491	"	Koerner	Markus				"		
492	"	Fajngold	Dawid Wolf	34			"		
493	"	Tempel	Helena	51			"		
494	"	Tempel	Marian	42			"		
495	"	Tempel	Stach	37		子供一人（11）	"		
496	"	Zajdband	Dawid	21	学生		"		
497	"	Wierzbolowski	Marek Szymon				"		
498	"	Hechkopf	Wanda	33		#499 の妻	"	パレスチナ	
499	"	Hechkopf	Edward	33		#498 の夫	"	同上	
500	"	Pinczewski	Stanislaw-Aleksander	39			"		
501	"	Klejman	Wolf Wladyslaw	39			"	USA	
502	"	Epsztejn	Morduch	58			"		
503	"	Lew	Lew	33		#504 の夫	"		
504	"	Lew	Halina	32		#503 の妻	"		

505	Ger.	Beral	Rudolf				"		
506	Lit.	Teresiskinas	Mowsza-Girsas			(死亡?)	"		
507	Pol.	Kaplun	Wella	48			"	サンフランシスコ	クリーブランド号
508	"	Klementynowska	Rywka				"	イスラエル	
509	"	Munowicz	Mordka	36	製造業		"	イスラエル	
510	"	Rozenholz	Edward	30	工業家		"	カナダ	
511	"	Babad	Miron				"		
512	"	Babad	Sara				"		
513	"	Bella	Frank				"		
514	"	Galler	Ojzer	33	事務員		"	ニュージーランド	
515	"	Lapacz	Danuta	?		#516 の妻	"	同上	
516	"	Bluman	Szoel-Leopold	35		#515 の夫	"	同上	
517	"	Rozenblum	J.M.	27			"		
518	"	Marber	Abram-Icek	39	電気技師		"	フランス	
519	"	Marber	Szmul-Moszek	47	製造業		"	オーストラリア	
520	"	Soroczkin	Lejzer	24	神学生	妻(18)、Telzer Yeshiva	"	USA	
521	"	Sielecki	Abram Jona	50		娘(16)	"		
522	Lit.	Pajewski	Jechiel-Izaak	33		妻(25)、子供一人(4)	"		
523	"	Pajewski	Josef	23		#522 の弟	"		
524	Pol.	Glass	Maksymilian	34	技師	#159 の弟	"	メルボルン	キャンベラ号
525	"	Rubinstejn	Icchok	38		#526 の夫	"		
526	"	Rubinstejn	Rywka	39		#525 の妻	"		
527	"	Gerszon	Mendel				"		
528	"	Gerszon	Hinda				"		
529	"	Gerszon	Gerszlik				"		
530	"	Blum	Jehuda Lejb	35	技師	妻	"	南アフリカ	あふりか丸
531	"	Lampert	Grzegorz	44	事務員		"		
532	"	Apelblat	Majer-Wolf	40			"		
533	"	Zmamierowski	Jakob Josef	30	皮革研究者	#534 の夫	"	ブラジル	
534	"	Znamierowska	Mina	21		#533 の妻	"	同上	
535	"	Frenkiel	Josef	33			"	USA	
536	"	Zamoscianski	Hirsz	32		妻(25)、子供一人(2)	"		
537	"	Beker	Salamon			(死亡?)	"		
538	"	Luzki	Mojsze Lejba	63		#539 の夫、#824 の父、娘(27)	"	サンフランシスコ	龍田丸
539	"	Luzka	Szejna-Rywka	50		#538 の妻	"	同上	同上
540	"	Oldak	Mojszes Ber	35	商人		"	イスラエル	
541	"	Elbaum	Symcha	30	セールスマン		"		
542	"	Buchalter	Monis	29			"		
543	"	Pomeranc	Jankiel	45			"		
544	"	Mondrowicz	Icchok	28			"		
545	"	Feldberg	Dawid	25		#452 の弟	"		

546	"	Szymkiewicz	Mojsze	30	運転手	妻（26）	"	カナダ	氷川丸
547	"	Rosmarin	Ruchla	41		#560 の妻	"		
548	"	Krelman	Juliusz	27			"		
549	"	Orlanska	Pola	22		#551 の妹	"		
550	"	Orlanski	Joszna	21		#551 の弟	"		
551	"	Orlanski	Jakob	27		#549、#550 の兄	"		
552	"	Suchowolski	Hirsz				"		
553	"	Rozental	Izrel				"		
554	"	Feldberg	Lejbus	57	製造業	妻（50）	"		
555	"	Elberg	Symcha	21	神学生	妻（19）、Mir Yeshiva	"	USA	
556	"	Rappaport	Zygmunt	35	事務員		"	上海	上海丸
557	"	Taub	Chackiel	27	ラビ	#558 の兄、Lublin Yeshiva	"	Van/Sea	日枝丸
558	"	Taub	Icek	18	神学生	#557 の弟、Lublin Yeshiva	"	同上	同上
559	"	Taub	Cypora	18	教師		"	同上	同上
560	"	Rosmarin	Izrael Lejb	46	商人	#547 の夫	"	ニュージーランド	
561	"	Kurlandski	Samuel	29	事務員		"	Van/Sea	氷川丸
562	"	Sztadlin	Miron	39	事務員	妻	"		
563	"	Dawidwicz	Majer Icko	24			"		
564	Lit.	Koenierite	Rachil Jankiel			（死亡？）	"		
565	Pol.	Wekeler	Aron				"		
566	"	Dwinson	Irena				"		
567	"	Dwinson	Sara			（死亡）	"		
568	"	Dwinson	Benjamin			（死亡）	"		
569	"	Lewkowicz	Leon	43	農業		"		
570	"	Wajnsztejn	Henryk	25		#571 の弟	"		
571	"	Wajnsztejn	Abram	28	商人	#570 の兄	"	オーストラリア	
572	"	Graubard	Florentyna	36		子供一人（12）	"		
573	"	Graubard	Pinkus				"		
574	"	Jadwiga	Eiger				"		
575	"	Zlotnik	Nuta Fajwel	31	装飾業		"	カナダ	平安丸
576	"	Rembaum	Boruch	22	学生		"		
577	"	Wertaus	Judzif	32		#1443 の妻	"	USA	
578	"	Gorfajn	Orzez	22	画家		"	南アフリカ	まにら丸
579	"	Lichtinger	Jeszaja	22		#1389 の兄弟	"	パレスチナ	
580	"	Kornblum	Wolf Lajb	34			"		
581	"	Kornblum	Gerszok	31			"		
582	"	Brukienia	F.				"		
583	"	Jasinowski	Markiel	33	繊維業		"	カナダ	平安丸
584	"	Mogszanik	Frajda-Ita				"		
585	"	Mirski	Mejer	35	医師	#586 の夫、子供一人（3）	"	メルボルン	鹿島丸
586	"	Mirska	Fania	31		#585 の妻	"	同上	
587	"	Nizynski	Isaak	25	商人		"	オーストラリア	
588	"	Liwszyc	Boruch	19	学生	#1934 の息子	"		
589	"	Gelbfish	Benjamin Belnish	17	神学生	lublin yeshiva	"	USA	
590	"	Ginzburg	Mozes	29			"		
591	"	Serwianski	Majer	27			"		
592	"	Szapiro	Pinchos	45	製造業		"		

593	"	Brabander	Izydor	31		妻（35)、子供(1)	"		
594	"	Krauz	Szebsel				"		
595	"	Rubinsztejn	Josef	34	会計		"	エクアドル	
596	Lit.	Katbieras	Aleksander				"		
597	Pol.	Nowinski	Juliusz	45	工業家	#363の夫、子供一人（15)	"		
598	"	Grynberg	Benjamin	30	弁護士		"	南アフリカ	まにら丸
599	"	Taca	Hersz Pejsak	20	学生	#299の従弟	"	パレスチナ	
600	"	Solowiejczyk	Judyta	28		#601の妻，こども（2)	"	アルゼンチン	
601	"	Solowiejczyk	Mieczyslaw	33		#600の夫	"	同上	
602	Ger.	Thalhofer	Otto	36		#461の夫	"	USA	
603	Pol.	Aszkenazy	Roza	55	事務員		8・1	カナダ	
604	"	Kaplan	Todres				"		
605	"	Ber	Emanuel	29		(死亡？)	"		
606	"	Kalisz	Rachmil Juda Mejer	38	ラビ	#1012の夫	"	USA	
607	"	Kalisz	Szymon	56	ラビ	妻（58)	"	同上	
608	"	Helman	Anatol				"		
609	"	Kowarska-Lewiman	Roza				"		
610	"	Girszprun	Pinkas	31			"		
611	"	Rotenberg	Gerszko	29	神学生	Lublin Yeshiva	"		
612	"	Rotenberg	Moszko	21			"	USA	
613	"	Kacman	Oser	23	神学生	Mir Yeshiva	"	サンフランシスコ	クリーブランド号
614	"	Kacman	Piesa	42	神学校	Mir Yeshiva	"		
615	"	Berman	Szloma	22			"		
616	"	Papierna	Michal				"		
617	"	Papierna	Grzegorz				"		
618	"	Bunkielblum	Izak				"		
619	"	Polakiewicz	Szamaj	29	医師	家族3人	"	オーストラリア	
620	"	Preschel	Arnold	42	繊維業	妻（36)、子供一人（8)	"	南米	
621	"	Grynblat	Henryk	28	学生		"		
622	"	Kac	Jakob-Moszek	22	商人		"	南米	
623	"	Zultek	Daniel	30	楽器演奏者		"	カナダ	氷川丸
624	"	Harry	Frej	20	神学生		"		
625	"	Wajingarten	Bajla Chana	37		#626の妻	"	カナダ	氷川丸
626	"	Wajngarten	Brachmiel	37	ライター	#625の夫子供2人（13、17)	"	同上	同上
627	"	Zaskind	Chaim Gabriel	30		妻	"	オーストラリア	
628	"	Kac	Aron Mordka	31	商人		"		
629	"	Cyrelson	Rachil	62		子供一人（7)	"	サンフランシスコ	八幡丸
630	"	Orensztejn	Zelman	39	製造業	妻（33)、子供一人（0.3)	"	メルボルン	鹿島丸
631	"	Fleichgericht	Izaak-Izrael				"		
632	"	Birsztejn	Benedyki	39	技師		"	カナダ	平安丸
633	"	Engielman	Aleksandr	35	弁護士		"	USA	
634	"	Persit	Wadim	40	技師		"		

635	"	Cukerman	Abram-Wolf	40	事務員	#657 の兄	"		
636	"	Chajtowicz	Josif	21	印刷業		"		
637	"	Jofe	Moszej				"		
638	"	Weissbard	Michal			(#440 と同一？)	"		
639	Ger.	Zagenkaw	Masza				"		
640	"	Zagenkaw	Abram				"		
641	Pol.	Brandsztejn	Wladyslaw	31			"	イスラエル	
642	"	Brandsztejn	Michal	39	歯科医		"	同上	
643	"	Brandsztejn	Adolf	34	歯科医		"	同上	
644	"	Cwajbaum	Artur				"		
645	"	Rancman	Zygmunt	35	技術者	家族一人	"		
646	"	Filipowski	Jowel	29	商人		"	カナダ	氷川丸
647	"	Breskin	Markus				"		
648	"	Rochman	Nacha-Nina	24	ジャーナリスト		"		
649	"	Krause	Johann	34	弁護士		"	メルボルン	鹿島丸
650	"	Natanowicz	Mojzesz	24	化学者	#715 の息子	"	ビルマ	大洋丸
651	"	Muszkat	Szymon	38	商人		"	カナダ	平安丸
652	"	Muszkat	Eleonora				"		
653	"	Goldlust	Samuel	53		#654 の夫、子供一人（11）	"		
654	"	Goldlust	Ida	42		#653 の妻	"		
655	Lit.	Chenciner	Jerzy	35		#12 と同一	"		
656	Pol.	Rabinowicz	Tanchum	23	神学生	（神学生）	"		
657	"	Cukierman	Szaja	27	ライター	#635 の弟	"		
658	"	Szmidman	Szmul	30	神学校		"		
659	"	Mowszowski	Mojzesz	64	ラビ	#1109 の父	"	南アフリカ	あふりか丸
660	"	Blass	Tobiasz Izrael	36	商人	家族一人	"	オーストラリア	
661	"	Tempel	Aleksander	55	弁護士	妻（53）	"	USA	
662	"	Mowszowski	Wolf	32		妻（27）、子供一人（3）	"	南アフリカ	
663	Lit.	Lewinsztejn	Lejzer	47			"	サンフランシスコ	龍田丸
664	Brityjska	Camber	Isaak Theodore				"		
665	Pol.	Monderer	Samuel	29	蒸留酒製造		"	カナダ	大洋丸
666	"	Mandelbaum	Rywka				"	オーストラリア	
667	"	Goralski	Jerzy	18			"		
668	"	Polak	Henryk	18	学生		"		
669	"	Dudskin	Wladyslaw				"		
670	"	Ludska	Etla				"		
671	"	Ryzak	Izrael	31	書店経営	妻（18）	"	サンフランシスコ	龍田丸
672	"	Kopel	Szpiro			(#89 と同一？)	"		
673	Lit.	Tankielis	Notas			(死亡？)	"		
674	Pol.	Goralski	Saweli				"		
675	"	Goralska	Dorota				"		
676	"	Halperin	Dawid Chaskiel	48			"		
677	"	Szypro	Elchonoj	30			"		
678	Ger.	Leo	Adler	25	神学生	Mir Yeshiva	"		
679	Pol.	Szemien	Chana	26			"	オーストラリア	
680	"	Szulman	Abram	27	ジャーナリスト	妻（23）	"	メルボルン	鹿島丸

681	"	Burgistyn	Chana Ruchla				"		
682	"	Mandelbaum	Lejb Ber	39			"		
683	"	Minc	Rafal Jonas	22	神学生		"	パレスチナ	
684	Lit.	Rittenberg	Maria			(死亡?)	"		
685	Pol.	Tobolowski	Stanislaw	37	弁護士		"	メルボルン	鹿島丸
686	"	Roza	Czerniak				"		
687	"	Alpert	Guta	34		子供4人(14, 13, 11, 8)	"	サンフランシスコ	クリーブランド号
688	"	Spiwak	Srul Lejb	29	事務員		"	南アフリカ	まにら丸
689	"	Zalman	Kunda	27	ラビ		"	USA	
690	"	Grynberg	Sara	26	看護師	#691 の妻	"		
691	"	Grynberg	Mojsze	27	商人	#690 の夫	"		
692	"	Pomieranc	Leon	26	音楽家		"		
693	"	Lwowicz	Chaim	29			"		
694	"	Solodownik	Mojsiej	29			"		
695	"	Wajs	Mendel	37	事務員		"	オーストラリア	
696	"	Bryskier	Adam	27	労働者	#697 の夫	"	南米	
697	"	Bryskier	Malka	31		#696 の妻	"	同上	
698	Ger.	Gollender	Framz	26	神学校		"		
699	Pol.	Zimand	Aladar Edwin	23			"	ビルマ	
700	"	Kaplan	Josef	22			"		
701	"	Berger	Henryk	27			"		
702	"	Kalmanowicz	Janina	25		#706 の妻	"		
703	"	Kalmanowicz	Debora	51		#704 の妻	"		
704	"	Kalmanowicz	Hersz	61		#703 の夫	"		
705	"	Uszpol	Isaak-Ber	29	ラビ		"	サンフランシスコ	クリーブランド号
706	"	Kalmanowicz	Zwejan	28		#702 の夫	"		
707	"	Szenderowicz	Kiwa				"		
708	"	Brafman	Markus	39	事務員	#709 の夫	"		
709	"	Brafman	Hiena	30		#708 の妻	"		
710	"	Trepman	Bronislawa	36	事務員		"		
711	"	Rosen	Josef	16			"	USA	
712	"	Pilin	Bronislaw	27			"		
713	"	Fajgenberg	Dawid	37			"		
714	"	Cukrman	Szymon	46			"	USA	
715	"	Natanowicz	Natan	56	事務員	#650 の父	"	ビルマ	大洋丸
716	"	Gutenberg	Berko	43	技師		"		
717	"	Gleichgewicht	Aleksander	18	学生、土木技術	#718 の息子	"	イスラエル	大洋丸
718	"	Gleichgewicht	Ruchla	52		#717 の母、夫(53)	"	同上	同上
719	"	Musia	Frank Henryk				"		
720	"	Ilutowicz	Maria	44		#334 の妻、子供一人(14)	"	メルボルン	
721	"	Tynkusewicz	Dawid				"		
722	"	Warszawski	Jakob	27	事務員		"		
723	"	Morder	Gerszon				"		
724	"	Klejn	Roman	15			"		
725	"	Klejn	Matel	26	学生		"	USA	
726	"	Klejn	Josiel-Szmaro				"		

727	〃	Kawalewski	Zygmunt Marian				〃		
728	〃	Zdrojewska	Aleksandra				〃		
729	〃	Trompoler	Abram Mojsiej	31	電気技師	家族二人	〃	イスラエル	
730	〃	Koppelman	Juliusz	36	森林保全		〃	パラグアイ	上海丸
731	〃	Malowicki	Josiel-Mejer	19			〃		
732	〃	Boruch	Beller	27			〃		
733	〃	Knoll	Mania	20			〃		
734	〃	Balik	Josif				〃		
735	〃	Sztokchamer	Chaja Szadba	54			〃		
736	〃	Jelinek	Rut	22		#738 の妻	〃		
737	〃	Motowicz	Eze				〃		
738	〃	Jelin	Samuel	26	技師	#736 の夫	〃		
739		Korszenbaum	Aron Mordchan	29	事務員		〃		
740	〃	Klejner	Oskar				〃		
741	〃	Klejner	Kornala	48		#742 の妻	〃		
742	〃	Klejner	Jakow	52		#741 の夫、#743 の父	〃		
743	〃	Klejner	Ernest	22		#741、#742 の息子	〃		
744	〃	Koszman	Szmuel				〃		
745	〃	Margolin	Fajga	33		#746 の妻	〃	メルボルン	キャンベラ号
746	〃	Margolin	Mojzesz-Szloma	37		#745 の夫、子供一人（12）	〃	同上	同上
747	〃	Nelson	Michal				〃		
748	〃	Swieca	Anatol	34	弁護士	妻（38）、子供一人（5）	〃	オーストラリア	
749	〃	Messer	Juliusz	38	商人	#750 の夫	〃	オーストラリア	
750	〃	Messer	Irena Stella	26		#749 の妻	〃	同上	
751	〃	Gurewicz	Bernard	35			〃		
752	〃	Jakobson	Teodor				〃		
753	〃	Jakobson	Lubow-Ludwika				〃		
754	〃	Kerner	Ater	41	事務員		〃	カナダ	
755	〃	Majewski	Jan				〃		
756	〃	Zylberfeld	Anna				〃		
757	〃	Lipsztat	Abram-Szlama				8・2		
758	〃	Feldman	Aron	27	事務員		〃	USA	
759	〃	Weinberger	Salomon	47	商人		〃	サンフランシスコ	龍田丸
760	〃	Brecher	Betty	38		子供一人（8）	〃	サンフランシスコ	クリーブランド号
761	〃	Smulewicz	Samuel	35			〃		
762	〃	Zachary	Dawid	52		#763 の父	〃		
763	〃	Zachary	Herc	19		#762 の息子	〃		
764	Ger.	Hendl	Henryk	50		妻（?）	〃		
765	Pol.	Rozenbaum	Eliasz	28			〃		
766	〃	Sacyler	Szolem	22			〃		
767	〃	Maurycy	Hirsz-Marian				〃		
768	〃	Tokerski	Hirsz				〃		
769	〃	Brant	Malka	41		#775 の妻	〃		
770	〃	Kenner	Jakow	56			〃		

771	"	Gotlib	Icek Majer	38		#772 の夫	"		
772	"	Gotlib	Ruchla	38			"		
773	"	Pinus	Lejzor	57	教師	家族一人	"		
774	"	Stolarska	Perla	42		子供（14）	"		
775	"	Brandt	Chaim	43		#769 の夫、#778 の父	"	USA	
776	"	Cytrynowski	Chil Mojsze	46	事務員	#777 の父	"	サンフランシスコ	龍田丸
777	"	Cytrynowski	Szmul Nuta-Mojsze	17		#776 の息子	"	同上	同上
778	"	Brandt	Nechuma	17		#775、#769 の長女	"		
779	"	Rosenfeld	Naftali				"		
780	"	Ginzburg	Lilli Minna				"		
781	"	Treister	Berek	52	技師		"	カナダ	平安丸
782	"	Duldicz	Leon			(死亡)	"		
783	"	Rajzman	Wiktor	26	技師		"	カナダ	氷川丸
784	"	Rosenfeld	Rozalia				"		
785	"	Kronenberg	Are	31	製本業		"	USA	日枝丸
786	"	Rozenberg	Gersz-Lejb	22			"		
787	"	Grouf	Aram-Arter				"		
788	"	Muszkat	Leopold	35		妻、子供２人(7、10)	"	メルボルン	鹿島丸
789	"	Zielonka	Berek	35	製粉業	#790 の夫、子供一人（4）	"	Van/Sea	日枝丸
790	"	Zielonka	Ruchla	31		#789 の妻	"	同上	
791	"	Blumenkranc	Kejla Rochla-Benjamin				"		
792	"	Tod	Lejb	37	事務員		"	南アフリカ	上海丸
793	"	Klejn	Motel	27	神学校		"	USA	
794	"	Tiefenbrum	Mojzesz	30	神学生		"	USA	
795	"	Szajniak	Fiszel Chil	30	農学者		"	エクアドル	
796	"	Szapiro	Malka	24	教師	#1054 の妻	"	USA	
797	"	Cukierkandel	Lea				"		
798	"	Babejuda	Naftali	25			"		
799	"	Szpiro	Hersz	27			"		
800	"	Getreidehendler	Szymon	26	食肉業		"	カナダ	氷川丸
801	UK	Mazionis	John				"		
802	Pol.	Segal	Mores	19	学生		"		
803	"	Gromadzin	Nachman Dawid	24			"		
804	"	Maszbaun	Szaja	22			"		
805	"	Jaskolka	Szaps	19			"	サンフランシスコ	クリーブランド号
806	"	Jurkanski	Eliasz	31	神学生	Mir Yeshiva	"	USA	
807	"	Sztejn	Sofia	38		#808 の妻	"	パレスチナ	
808	"	Sztejn	Maks	37		#807 の夫、子供２人(18、15)	"		
809	Lit.	Rajinesaite	Rina			(死亡？)	"		
810	Pol.	Sokol	Jenta	50		#255 の妻	"		
811	"	Rozwadowski	Tadeusz				"		
812	"	Szubert	Leon	37	弁護士		"	カナダ	
813	Ger.	Feige	Belle	39		#814 の妻	"	アルゼンチン	
814	"	Feige	Martin	41		#813 の夫	"	同上	

815	Pol.	Sztaizel	Benjamin	26	学生		"	ベネズエラ	
816	"	Kalmanowicz	Chaim Aron	31	農業		"	南米	
817	"	Brejt	Julian	26	弁護士		"		
818	"	Szubert	Izydor				"		
819	"	Ilutowicz	Leon	26	弁護士		"	オーストラリア	
820	"	Wilenczyk	Mowsza	28	ジャーナリスト		"		
821	"	Kamien	Mojizesz Abe	25	ラビ	Telczer Yeshiva	"	USA	
822	"	Rogow	Morduch	42	ラビ	妻子（36）、子供２人(14,12)	"	USA	
823	"	Wolmark	Szmul Pinks	44	ラビ	妻（43）、子供２人（12、8）	"	USA	
824	"	Luska	Chaja-Rejzel	15		#538,#539 の娘	"	サンフランシスコ	
825	"	Kojdanowski	Zysel	32	神学生	Mir Yeshiva	"	USA	
826	"	Kojdanowska	Brocha	35		#827 の妻	"	USA	
827	"	Kojdanowski	Calko	48	ラビ (mir yeshiva)	#826 の夫、子供２人(9、2)	"	同上	
828	"	Moszkowski	Wladyslaw	56	弁護士		"	メルボルン	鹿島丸
829	"	Goldberg	Maria Szymon	27		#830 の妻	"	サンフランシスコ	八幡丸
830	"	Goldberg	Izaak	28	商人	#829 の夫	"	同上	同上
831	"	Kielman	Karlinski	39	ジャーナリスト		"		
832	"	Winer	Abram	31	化学者		"	USA	
833	"	Nucher	Herman	39	弁護士		"	USA	
834	"	Bryskman	Szaja Dawid	28	神学生	Mir Yeshiva	"	USA	
835	"	Pantol	Mejer	29	神学生	Kamieniecer Yeshiva	"	カナダ	
836	"	Polak	Leon	55	製造業		"	USA	
837	"	Marber	Szlama Jakow	19	学生		"	パレスチナ	
838	"	Goldberg	Rachela	16			"	USA	
839	"	Goldberg	Szymon	51	商人		"		
840	"	Korngold	Jerzy	21	学生		"	オーストラリア	
841	"	Graubart	Boleslaw	38	弁護士	妻（?）	"	USA	
842	"	Zylberberg	Araham Adam	36			"		
843	"	Zylberberg	Hirsz Chaim	33	ジャーナリスト		"		
844	"	Goldberg	Mieczslaw				"		
845	"	Fellner	Leon			死亡	"		
846	"	Cygielman	Nusym-Rafal				"		
847	"	Ferens	Dyde	31	商人		"	イスラエル	
848	"	Dichter	Lejb	30	教師	妻（24）	"	USA	
849	"	Markus	Dawid	24	ジャーナリスト		"	USA	
850	"	Jakobowicz	Boleslaw	35	製造業	妻（31）	"	オーストラリア	
851	"	Dworecki	Berko	47		#854 の父、妻（48）、娘（16）	"	USA	
852	"	Szmujlowicz	Jakow	55	製造業	Samuel (17)	"	メキシコ	
853	"	Bojarski	Josef	28	事務員		"	USA	氷川丸
854	"	Dworecka	Cyla	21		#851 の娘	"	USA	
855	"	Rajczyk	Jakob Lejb	30	皮革業		"	南アフリカ	まにら丸
856	"	Reisensztadt	Szyja	58		#857 の夫	"		
857	"	Reisensztadt	Perla Tena	52		#856 の妻	"		
858	"	Bytenski	Nochim	53		妻（50）	"	USA	

859	"	Melamed	Szyja	34	商人		"	USA	
860	"	Waksmacher	Henryk				"	ビルマ	大洋丸
861	"	Wejland	Michal	51		妻（52）、子供一人（18）	"	オーストラリア	
862	"	Sztern	Chaim Natan				"		
863	"	Kon	Rafal	47	技師		"	カナダ	
864	"	Tunkiel	Jakow	20			"	イスラエル	
865	"	Luksenberg	Aram	35	商人	#498, 499 の友人	"	南アフリカ	
866	"	Fein	Rubin	16	神学生	Shonimer Yeshiva	"	USA	
867	"	Zalcgendler	Awraam	25	神学生	妻（20）、Shonimer Yeshiva	"	USA	
868	"	Czertok	Gdala	47	事務員	妻（42）、息子（18）	"	南米	
869	"	Czertok	Hirsz	57	事務員	妻（48）、娘（16）	"	フランス	
870	"	Perkal	Esza	26	歯科医		"	USA	
871	"	Goldman	Izrael-Symcha	24	細菌学者		"	オーストラリア	
872	"	Klejman	Abraham Mojsze			#448 と同一	"		
873	"	Kupinski	Samuel	34	農業	#874 の弟、子供２人(9,8)	"	トロント	
874	"	Kupinski	Eliasz	43	農業	#873 の兄、妻(38)	"	同上	
875	"	Kanal	Szyja Chaim	35	事務員		"	イスラエル	
876	"	Szlosser	Salomon	46	商人	妻(32)、娘(10)	"	USA	
877	"	Lerman	Abram Chaim	27	神学生	Clecker Yeshia	"	USA	
878	"	Lerman	Sylf Izrael				"		
879	"	Majzett	Abe	31	事務員		"		
880	"	Ederman	Jakob	19	神学生	mMir Yeshiva	"	USA	
881	"	Zomer	Mozes	?		子供（14）	"	カナダ	
882	"	Ginzburg	Fajwel	32	水先案内人		"	USA	
883	"	Sztern	Lali				"		
884	"	Dymant	Jakob	26	弁護士		"	ビルマ	大洋丸
885	"	Sztrauch	Boleslaw	39	化学者		"		
886	"	Kaplan	Mejloch	35	商人		"	USA	
887	"	Lipinski	Nochem	32			"		
888	"	Mojzesz	Fryde	35		妻（34）	"		
889	"	Bram	Solomon-Stefan	42	技師	#890 の夫	"	キューバ	
890	"	Minkowska	Sara	43	医師	#889 の妻、息子（17）	"	同上	
891	"	Samuel	Siew	44	医師	妻（37）、息子（14）	"	USA	
892	"	Metalow	Salewicz	32	事務員		8・3	カナダ	
893	"	Gasfeld	Lejzor				"		
894	"	Switalska	Eleora				"		
895	"	Switaski	Ferdynat				"		
896	"	Apfelbaumm	Henryk	38			"		
897	"	Brecher	Jakow				"		
898	"	Edward	Cenzor				"	カナダ	

899	"	Skinder	Maria				"		
900	"	Skinder	Witold				"		
901	Lit.	Chaimsonas	Chaimas				"		
902	Pol.	Lejzerowicz	Josef	24	ジャーナリスト		"		
903	"	Taraszczanska	Perla	?		#1057 の妻、子供一人	"	カナダ	浅間丸
904	"	Aramowicz	Naum	49	商人		"		
905	"	Nebenzahl	Samuel	39	事務員	妻（37）、子供（7）	"	オーストラリア	
906	"	Foltanska	Halide				"		
907	"	Foltanski	Grzegorz				"		
908	"	Kiersch	Zofia Wasilewska				"		
909	"	Pinks	Gustaw Kazimierz	19			"		
910	"	Ingster	Josef	48	毛織物商	#911 の義父	"	カナダ	平安丸
911	"	Landau	Marsel	22	技師	#910 の女婿、妻 (20)	"	同上	同上
912	"	Goldin	Jakow	51		妻（39）、子供（15）	"	南アフリカ	
913	"	Simon	Sacher	60	化学者		"		
914	Lit.	Jakowlewicz	Falkas Josif			（死亡？）	"		
915	"	Jakowas	Nochim			（死亡）	"		
916	Pol.	Zoltek	Adam-Jakob	35		妻（?）	"	カナダ	
917	"	Ziemowit	Stanislaw				"		
918	"	Fajn	Borys	38			"		
919	"	Klocman	Irma Frieda				"		
920	"	Klocman	Kusiel				"		
921	"	Klocman	Harry Konstanty				"		
922	"	Szwarysztejn	Ignacy				"		
923	"	Mautner	Ida	49		夫（52）	"		
924	"	Golobotobka	Raisa				"		
925	"	Goldhamer	Mari	31		#996 の妻	"	メキシコ	
926	"	Biler	Otton	31			"		
927	"	Nowinski	Mieczyslaw	50		妻（36）、子供一人（6）	"		
928	"	Lazdun	Teodor	23	神学生	Telczer Yeshiva	"	USA	
929	"	Chajan	Sara	43		#930 の妻、娘（17）、息子（15）	"	USA	
930	"	Chajan	Jakow	42		#929 の夫	"	同上	
931	"	Duldig	Dawid				"		
932	"	Duldig	Emilia				"		
933	"	Sikorski	Marian				"		
934	"	Karmel	Abram	18	神学生	Mir Yeshiva	"	USA	
935	"	Fuks	Lejbus	39			"		
936	"	Malin	Lejb	35	神学生	Mir Yeshiva	"	カナダ	
937	"	Flajszhakier	Chackiel	21	教師	Mir Yeshiva	"	USA	
938	"	Kaplan	Nutko	42		妻（31）	"		
939	"	Malin	Nechemija	23	神学生		"	USA	
940	"	Kon	Berek Isakowcz	27	事務員		"		
941	"	Rozenfeld	Chil	25	神学生	Telczer Yeshiva	"		

942	"	Klejn	Fajwel				"		
943	"	Klejn	Abraam	15		#944 の息子 (?)	"	アルゼンチン？	
944	"	Klejn	Mendel Fryda	56		#943 の父（?)	"	アルゼンチン？	
945	"	Pakulska	Lucyna				"		
946	"	Rozenblat	Markus	38	技師		"		
947	"	Plockier	Chawa Rywka				"		
948	"	Plockier	Jakob				"		
949	"	Rozenblat	Dawid	39		#950 の夫	"		
950	"	Rozenblat	Zofia	32		#949 の妻	"		
951	"	Polak	Efgenis	33	技師	妻（25)	"	メルボルン	鹿島丸
952	"	Lipszyc	Mojzesz	22	装飾業		"	カナダ	平安丸
953	"	Ptak	Lejzer	65		妻（60)	"		
954	"	Bram	Jeszuje-Henoch	36	事務員		"	南アフリカ	まにら丸
955	"	Trepman	Abram				"		
956	"	Rozenbaum	Samuel			家族３人	"	イスラエル	
957	"	Rubinek	Chil	45	マネージャー	#958 の兄	"	ビルマ	大洋丸
958	"	Rubinek	Izrael	40	事務員	#957 の弟	"	同上	同上
959	"	Bobrowski	Jakob	29	mir yeshiva		"	サンフランシスコ	平洋丸
960	"	Soskin	Josef	24			"		
961	"	Kalenkowicz	Ela-Pinchos	34	教師		"		
962	"	Bender	Josef	37			"		
963	"	Lechel	Genrich	47			"		
964	"	Calkowicz	Aron Wolfowicz	28			"	USA	
965	"	Wirklich	Jakob				"		
966	"	Frydman	Mojzesz	31	商人	妻（23)	"		
967	"	Wulkan	Samuel		技師		"		
968	"	Steiner	Lewi	47	商人		"		
969	"	Itinson	Morduch	48	商人		"	ビルマ	大洋丸
970	"	Rozenbaum	Abraham	45	製造業	#971 の夫、子供一人（18)	"	USA	
971	"	Rozenbaum	Estera	40		#970 の妻	"	USA	
972	"	Berman	Ichok	35	ラビ	家族３人	"	USA	
973	"	Kopelowicz	Aron	34	ラビ	Slonimer Yeshiva	"	USA	
974	"	Szczedrowicki	Szmuel	32	ラビ	妻（35)、子供４人 (11,8,5,3)	"	パレスチナ	
975	"	Pikielny	Lew	25	神学生	Nowogroded Yeshiva	"		
976	"	Igieski	Chaim	31	テーラー		"		
977	"	Winter	Berek Litman	31	製造業		"		
978	"	Frankensztejn	Gerszon	40	商人		"		
979	"	Gedrojc	Kazimier				"		
980	"	Keiser	Tekla				"		
981	"	Keiser	Wladyslaw				"		
982	"	Pines	Ewgenia				"		
983	"	Pines	Juli				"		
984	"	Weincfrecht	Szloma	32	勤労者		"		
985	"	Rogozinski	Konstanty				"		

986	"	Rogozinska	Wanda				"		
987	"	Szpilman	Anszel	23			"		
988	"	Rozenblum	Natan	41			"	サンフランシスコ	クリーブランド
989	"	Kaufman	Wolf		社会福祉士		"	パレスチナ？	
990	"	Ryszfeld	Dawid	41	事務員	妻（?）	"		
991	"	Twierski	Wincenty	41	勤労者		"		
992	"	Bersztejn	Dawid	31	弁護士	#1032 の夫	"	カナダ	氷川丸
993	"	Klocman	Elza				"		
994	"	Klocman	Owsiej				"		
995	"	Gilerman	Dawid				"		
996	"	Goldkammer	Feszke	42	製造業	#925 の夫、子供 1 人（3）	"	メキシコ	
997	"	Szwarysztejn	Adam	51	製造業	#999 の夫	"	アルゼンチン？	
998	"	Weyland	Ignacy	51	工場経営	妻（40）、子供（13）	"	オーストラリア	
999	"	Szwatisztejn	Stefania	41		#997 の妻	"	アルゼンチン？	
1000	"	Bitsztejn	Gustaw	60	科学技術者	妻（52）、息子（29）	"	USA	
1001	"	Mendrochowicz	Mariel	50	製造業		"		
1002	"	Nowicki	Wiktor	37	PHD		"		
1003	"	Zelezowski	Oskar				"		
1004	"	Apsztejn	Stanislaw	61		妻（54）	"	アルゼンチン	
1005	"	Zylberman	Abram	39	ジャーナリスト		"	南アフリカ	まにら丸
1006	Lit.	Girszewicius	Zalmanas			（死亡？）	"		
1007	Pol.	Szpilberg	Mordko	23			"		
1008	"	Szpilberg	Chaim	27	事務員		"		
1009	"	Witson	Ela	20	神学生	Lubulin Yeshiva?	"		
1010	"	Sojfer	Iszer	27			"		
1011	"	Figner	Julian				"		
1012	"	Kalisz	Ita Tauba	40		#606 の妻、子供2人(14,15)	"	USA	
1013	"	Kalisz	Icchok	26	ラビ	Lublin Yeshiva	"	USA	
1014	"	Finkielsztejn	Jankiel	22	神学生	Mir Yeshiva	"	USA	
1015	"	Frydman	Chaim	22	商人	妻（?）	"	イスラエル	
1016	"	Mowszewski	Lejzer	42		妻（37）、娘 2 人	"	南アフリカ	
1017	"	Rebzda	Boleslaw				"		
1018	"	Kornblum	Frydrich				"		
1019	"	Goldfail	Moryc	41	技師	妻（40）、子供一人（6）	"	ニュージーランド	
1020	"	Szczekocki	Jakob Josef	26	製造業		"		
1021	"	Buchman	Levek Dawid	34			"		
1022	"	Sikorski	Brunon Andre				"		
1023	"	Kaminski	Haman	23	神学生	Mir Yeshiva	"	USA	
1024	"	Bergman	Simon	28	事務員		"	イスラエル	
1025	"	Liver	Hava	48		#1026 の妻	"	USA	日枝丸
1026	"	Liver	Abram	51		#1025 の夫、子供一人（18）	"	同上	同上
1027	"	Higryn	Moses				"		
1028	"	Machlis	Leon	38	書店経営		"	USA	
1029	"	Bider	Gert	55			"		

1030	Lit.	Lomas	Ickus				8・5		
1031	"	Lomas	Majta				"		
1032	Pol.	Bersztejn	Rachel	32		#992 の妻、子供一人（5）	"	Van/Sea	氷川丸
1033	"	Rozengolc	Rejla	43		#1037 の妻	"		
1034	"	Ickowicz	Abram Jacob	35		#1035 の夫、子供一人（1）	"		
1035	"	Ickowicz	Retera	35		#1034 の妻	"		
1036	"	Golcberg	Sura Dwojra	33		#1038 の妻	"		
1037	"	Rozengolc	Jakob	41		#1033 の夫、子供 2 人（10,13）	"		
1038	"	Golcberg	Gilel	45	商人	#1036 の夫	"		
1039	"	Marejn	Alexandr				"		
1040	"	Marejn	Garus				"		
1041	"	Marejn	Hana			（#1042 と同一？）	"		
1042	"	Marejn	Hana			（#1041 と同一？）	"		
1043	"	Citron	Akiwa				"		
1044	"	Laskowski	Wladyslaw				"		
1045	"	Rozanski	Szloma	32	ジャーナリスト		"	ボンベイ / イスラエル	伏見丸
1046	"	Iwri	Samuel	29	教師	妻（23）、Yeshiva	"	USA	
1047	"	Ryzowy	Pinchel	27	化学者		"	USA	
1048	"	Praszker	Gersz	29	農業		"	（上海にて死亡）	
1049	"	Suraskin	Michel	19			"		
1050	"	Gorfajn	Jechak				"		
1051	"	Wolanski	Szloma	21	技術者		"	インド / カナダ	
1052	"	Zinger	Hill	21	神学生	Lublin Yeshiva	"	USA	
1053	"	Zitman	Abram	22	神学生	Lublin Yeshiva	"	USA	
1054	"	Szapiro	Mejer	24	ラビ	#796 の夫、Lublin Yeshiva	"	USA	
1055	"	Liubart	Mordko	24	神学生	Lublin Yeshiva	"	カナダ	
1056	"	Kosowski	Srul	40	農業	妻（28）、子供 2 人（6、2）	"	USA	日枝丸
1057	"	Taraszczanski	Salomon	46	会社役員	#903 の夫	"		浅間丸
1058	"	Mendelsund	Szidra	25		#1059 の妻	"	サンフランシスコ	龍田丸
1059	"	Mendelsund	Henoh	29		#1058 の夫	"	同上	同上
1060	"	Salpeter	Moses	35			"		
1061	"	Zauberman	Alfred	35		（#79 と同一？）	"		
1062	"	Bursztajn	Oskar				"		
1063	"	Fin	Michel				"		
1064	"	Reiner	Jozef			（#29 と同一？）	"		
1065	"	Redel	Dawid	55	染色業		"		
1066	"	Morduchowicz	Jankiel	21	神学生	Mir Yeshiva	"	USA	
1067	"	Milikowski	Chaim	23	神学生	Mir Yeshiva	"	カナダ	
1068	"	Nachamczik	Nachman	18	神学生	Mir Yeshiva	"	USA	
1069	"	Niznik	Abram David	20	神学生	Mir Yeshiva	"	USA	
1070	"	Mul	Hersz	20	神学生	Mir Yeshiva	"	カナダ	
1071	"	Maruch	Mowsza	21	神学生	Mir Yeshiva	"	USA	
1072	Ger.	Kohn	Moses Tezajas				"		
1073	Pol.	Englard	Dawid Lejb	26	神学生	Mir Yeshiva	"	USA	

1074	"	Dyksztein	Idel	16	神学生	Mir Yeshiva	"	USA	
1075	"	Azja	Hirsz	26	神学生	Mir Yeshiva	"	USA	
1076	"	Alter	Baruch Jakob	24	神学生	Mir Yeshiva	"	USA	
1077	"	Epsztejn	Josef Dawid	28	ラビ（Mir Yeshiva）	妻（32）、子供２人（3,1）	"	USA	
1078	"	Edelman	Hirsz	28	ラビ（Mir Yeshiva）	#1646 の兄	"	USA	
1079	"	Wisniewski	Lejb	23	神学生	Mir Yeshiva	"	USA	
1080	"	Wasilski	Morduch	21	神学生	Mir Yeshiva	"	?	
1081	"	Tenenbaum	Salko Leib	32	Mir Yeshiva		"	カナダ	
1082	"	Tolwinski	Szmul	27	神学生	Mir Yeshiva	"	USA	
1083	"	Szewczyk	Kiwa	26	神学生	Mir Yeshiva	"	USA	
1084	"	Siemiatycki	Icek Hirsz	45	ラビ（Mir Yeshiva）		"	?	
1085	"	Singalowski	Gabriel	26	神学生	Mir Yeshiva	"	USA	
1086	"	Sztein	Peisach Icek	22	神学生	Mir Yeshiva	"	USA	
1087	"	Soltan	Ela	33	神学生	Mir Yeshiva	"	USA	
1088	"	Sztajngarten	Cudek		神学生		"	USA	
1089	"	Szrajbman	Mordchaj	27	神学生	Mir Yeshiva	"	?	
1090	"	Szmulewicz	Szloma	29	神学生	Mir Yeshiva、妻（16）	"	カナダ	
1091	"	Sztejnberg	Josef	32	Mir Yeshiva	妻（19）	"	USA	
1092	"	Serebrowski	Abram Aron	19	神学生	Mir Yeshiva	"	USA	
1093	"	Szoszun	Boruch Lejb	32	Mir Yeshiva		"		
1094	"	Rozenbaum	Mordka	29	神学生	Mir Yeshiva	"	USA	平安丸
1095	"	Rozenberg	Boruch	19	神学生	Mir Yeshiva、#1745 の弟	"	USA	
1096	"	Szebs	Simcha Abram	29	神学生	Mir Yeshiva	"	サンフランシスコ	平安丸
1097	"	Rajchlin	Srul	23	神学生	Mir Yeshiva	"	USA	
1098	"	Rabinowicz	Jankiel	26	神学生	Mir Yeshiva	"	USA	
1099	"	Portnoj	Laizer	32	ラビ	Mir Yeshiva	"	?	
1100	"	Polejes	Abram	26	神学生	Mir Yeshiva	"	USA	
1101	"	Perkowski	Wolf	20	神学生	Mir Yeshiva	"	USA	
1102	"	Wysokier	Chaim	45	ラビ（Mir Yeshiva）		"	カナダ	
1103	"	Okragly	Chaim	28	神学生	Mir Yeshiva	"	USA	
1104	"	Machlis	Jankiel	22	神学生	Mir Yeshiva	"	USA	
1105	"	Bakszt	Dawid	31	神学生	Mir Yeshiva	"	?	
1106	"	Bakszt	Leiba	25	神学生	Mir Yeshiva、妻（?）	"	?	
1107	"	Berman	Abolit Mordcha	21	神学生	Mir Yeshiva	"	?	
1108	"	Baranowicz	Lejba	28	神学生	Mir Yeshiva	"	?	
1109	"	Mowszowicz	Dawid Girsz	21	神学生	Mir Yeshiva、#659 の息子	"	USA	
1110	Ger.	Steinfeld	Wilhelm	26	Mir Yeshiva	妻（20）	"	USA	
1111	"	Laskowicz	Josef	19	神学生	Mir Yeshiva	"	USA	
1112	Pol.	Godon	Wolf	29	神学生	Mir Yeshiva	"	?	
1113	"	Gruszko	Gersz	20	神学生	Mir Yeshiva	"	USA	
1114	"	Litelis	Szymon				"		

1115	"	Ginzburg	Reuwen	25	ラビ（mir yeshiva）	妻（25）	"	カナダ	
1116	"	Frejdzin	Berel	27	神学生	Mir Yeshiva、妻（17）	"	USA	
1117	Ger,	Fabian	Kurt	26	神学生	Mir Yeshiva、妻（27）	"	USA	
1118	Pol.	Frajberger	Lejzor	25	神学生	Mir Yeshiva	"	USA	
1119	"	Fajwuszowicz	Szmul	26	神学生	Mir Yeshiva	"	カナダ	
1120	"	Finkielstein	Jankiel	36	銀行員		"	USA	
1121	"	Fiszman	Henoch	26	神学生	Mir Yeshiva、妻（17）	"	カナダ	
1122	"	Grozbard	Fajwel Eirsz	24	神学生	Mir Yeshiva	"		
1123	"	Paderski	Meier	29	神学生	Mir Yeshiva	"	USA	
1124	"	Ring	Jankiel	23	神学生	Mir Yeshiva	"	USA	
1125	"	Reznik	Abram	19	神学生	Mir Yeshiva	"	USA	
1126	"	Roitenberg	Tewia	19	神学生	Mir Yeshiva	"	USA	
1127	"	Rozen	Joel	19	神学生	Mir Yeshiva	"	USA	
1128	"	Rabinowicz	Icko	20	神学生	Mir Yeshiva	"	?	
1129	"	Rabinowicz	Mordchel	27	神学生	Mir Yeshiva	"	?	
1130	Ger.	Ungar	Michael Israel	23	神学生	Mir Yeshiva	"	サンフランシスコ	龍田丸
1131	Pol.	Wiernik	Moszek	30	神学生	Mir Yeshiva	"	USA	
1132	"	Wilenski	Szmujlo	42	Mir Yeshiva		"	カナダ	
1133	"	Zafran	Berko	22	神学生	Mir Yeshiva	"	USA	
1134	"	Zuchowicki	Fajwel	27	神学生	Mir Yeshiva	"	カナダ	
1135	"	Zablocki	Aron	27	神学生	Mir Yeshiva、#1136 の兄	"	カナダ	
1136	"	Zablocki	Jankiel	16	神学生	Mir Yeshiva、#1135 の弟	"	USA	
1137	"	Zabare	Jankiel	17	神学生	Mir Yeshiva	"	USA	
1138	"	Zakhejm	Jakob Iser	19	神学生	Mir Yeshiva	"	USA	
1139	"	Lewin	Uszek	25	神学生	Mir Yeshiva	"	USA	
1140	"	Lewinsztein	Jochewed	26		#1165 の娘	"	USA	
1141	"	Byk	Abram Moisze	20	神学生	Mir Yeshiva	"	USA	
1142	Ger.	Bolak	Gustaw	24	神学生	Mir Yeshiva	"	USA	
1143	Pol.	Beniawski	Israel	17	神学生	Mir Yeshiva	"	USA	
1144	"	Blumenfeld	Moszek Hersz	21	神学生	Mir Yeshiva	"	USA	
1145	"	Barenbaum	Michel	32	神学生	妻（26）	"	カナダ	
1146	"	Bursztyn	Szloma	26	神学生	Mir Yeshiva	"	USA	
1147	"	Bobrowski	Mojsze Szloma	20	神学生	Mir Yeshiva	"	カナダ	
1148	"	Brzozek	Samson	22	神学生	Mir Yeshiva	"	サンフランシスコ	平安丸
1149	"	Breski	Jalob Lejb	23	神学生	Mir Yeshiva	"	USA	
1150	"	Kanarek	Josef Dawid	20	神学生	Mir Yeshiva、#1151 の弟	"	サンフランシスコ	龍田丸
1151	"	Kanarek	Israel Elieser	23	神学生	Mir Yeshiva、#1151 の兄	"	同上	同上
1152	Ger.	Lange	Emil	25	神学生	Mir Yeshiva	"	USA	
1153	Pol.	Lewin	Lejma	24	神学生	Mir Yeshiva	"	USA	
1154	"	Piwowoz	Moses	23	神学生	Mir Yeshiva	"	USA	
1155	"	Portnoj	Chaim	22	神学生	Mir Yeshiva	"	USA	
1156	"	Busel	Owsies	27	神学生	Mir Yeshiva、妻（18）	"	USA	
1157	"	Bergsztein	Benjamin	19	神学生	Mir Yeshiva	"	USA	

1158	Ger.	Blau	Ernst Moritz	29	神学生	Mir Yeshiva、妻（29）	"	オーストラリア	
1159	Pol.	Becher	Saul	21	神学生	Mir Yeshiva	"	?	
1160	"	Buchman	Sara	27			"	USA	
1160 a	"	Berkowicz	Chaim	26			"		
1161	"	Blumenkranc	Szloma	24	神学生	Mir Yeshiva	"	USA	
1162	"	Borensztein	Icek Nojach	31	Mir Yeshiva		"	?	
1163	"	Brudny	Szmul	25	神学生	Mir Yeshiva	"	USA	
1164	Ger.	Hellmann	Ernst Israel	23	神学生	Mir Yeshiva、妻（19）	"	?	
1165	Pol.	Lewinsztein	Chaskiel	55	ラビ（mir yeshiva)	#1192 の夫	"	USA	
1166	"	Grosnard	Nochem Abel	22	神学生	Mir Yeshiva	"	USA	
1167	"	Litelman	Ichok				"		
1168	"	Gardyn	Aron Jankiel	19	神学生	Mir Yeshiva	"	オーストラリア	
1169	"	Gertman	Icchok Lejb				"		
1170	"	Hercman	Chuna	25	神学生	Mir Yeshiva	"	USA	
1171	"	Horodziejski	Lejzer	35	Mir Yeshiva		"	?	
1172	"	Jankielewicz	Gieszon	31	神学生	Mir Yeshiva	"	USA	
1173	"	Kastrowicki	Dawid	19	神学生	Mir Yeshiva	"	?	
1174	"	Kaplan	Hersz	16	神学生	Mir Yeshiva	"	サンフランシスコ	平洋丸
1175	"	Korabelnik	Dawid	21	神学生	Mir Yeshiva	"	USA	
1176	"	Kirzner	Zelik	23	神学生	Mir Yeshiva	"	USA	
1177	"	Kahan	Pejsach	25	神学生	Mir Yeshiva	"	USA	
1178	"	Kwiat	Dawid	21	神学生	Mir Yeshiva	"	カナダ	
1179	"	Krawiec	Abraham	28	Mir Yeshiva		"	カナダ	
1180	"	Klior	Elia-Ber	22	神学生	Mir Yeshiva	"	USA	
1181	"	Kunstadt	Heineman	23	mir yeshiva		"	パレスチナ	
1182	"	Kahan	Boruch	27	神学生	Mir Yeshiva	"	USA	
1183	"	Kecler	Mejer Szmul	17	神学生	Mir Yeshiva	"	USA	
1184	"	Krupenia	Leiwil	26	神学生	Mir Yeshiva	"	カナダ	
1185	"	Kaplan	Symko	29	Mir Yeshiva		"	?	
1186	"	Kusznier Fraj	Abram Hersz	21	神学生	Mir Yeshiva	"	?	
1187	"	Lwowicz	Sara	27		#1190 の妻	"	サンフランシスコ	
1188	"	Lwowicz	Simcho-Ziskind	30	ラビ（mir yeshiva)		"	同上	
1189	"	Leszczynski	Jacob	16	神学生	Mir Yeshiva	"	USA	
1190	"	Lwowic	Mowsza Lejb	29	ラビ（mir yeshiva)	#1187 の夫	"	サンフランシスコ	
1191	"	Orlanski	Szmul Ela	18	神学生	Mir Yeshiva	"	USA	
1192	"	Lewinsztein	Chana	53		#1165 の妻	"	USA	
1193	"	Gryngras	Mejer Jankiel	25	神学生	Mir Yeshiva	"	南米	
1194	"	Gilmonowicz	Jakob	24	神学生	Mir Yeshiva	"	ヨーロッパ	
1195	"	Orlinski	Menachim	19	神学生	Mir Yeshiva	8・6	USA	
1196	"	Magid	Jankiel	18	神学生	Mir Yeshiva	"	USA	
1197	"	Fajgenbaum	Izrael	20	神学生	Mir Yeshiva	"	USA	
1198	"	Arbuz	Abram Srul	21	神学生	Mir Yeshiva	"	?	

1199	"	Ajzenberg	Mojzesz Gerszon	23	神学生	Mir Yeshiva	"	USA	
1200	"	Schneebald	Izydor	19	神学生	Mir Yeshiva	"	USA	
1201	"	Szczytnicki	Josef	24	神学生	Mir Yeshiva	"	USA	
1202	"	Szymanowicz	Szaja	31	ラビ (kowno)	妻（22）	"	USA	
1203	"	Szmuelewicz	Chana Miriam	32		#1205の妻	"	USA	
1204	"	Szajngarten	Pinchos	19	神学生	Mir Yeshiva	"	USA	
1205	"	Szmuelewicz	Chaim Lejba	37	ラビ（mir yeshiva)	#1203の夫、子供３人 (9,5,3)	"	USA	
1206	"	Polanski	Ela	26	神学生	Mir Yeshiva、妻（16）	"	USA	
1207	"	Melamed	Ruwin	26	神学生	Mir Yeshiva	"	USA	
1208	"	Korelicki	Menachim	26	神学生	Mir Yeshiva	"	USA	
1209	"	Pirutynski	Mowsza	20	神学生	Mir Yeshiva	"	USA	
1210	"	Paler	Benjamin	29	神学生	Mir Yeshiva	"	カナダ	
1211	"	Pocztaruk	Izrael	21	神学生	Mir Yeshiva	"	USA	
1212	"	Szymszelewicz	Icko	25	神学生	Mir Yeshiva	"	パレスチナ	
1213	"	Wolfson	Icko	28	神学生	妻（23）	"	USA	
1214	"	Zupnik	Gedalja	21	神学生	Mir Yeshiva	"	カナダ	
1215	"	Leizerzon	Moszek	19	神学生	Mir Yeshiva	"	USA	
1216	"	Lew	Calko	21	神学生	Mir Yeshiva	"	?	
1217	"	Lesman	Nuchim	20	神学生	Mir Yeshiva	"	カナダ	
1218	"	Lichtensztein	Oszer	17	神学生	Mir Yeshiva	"	カナダ	
1219	"	Litmanowicz	Pinchos	24	神学生	Mir Yeshiva	"	カナダ	
1220	"	Berensztejn	Mowsza	25	神学生	Mir Yeshiva	"	?	
1221	"	Berel	Judel	27	神学生	Mir Yeshiva	"	USA	
1222	"	Mine	Mejer	17	神学生	Mir Yeshiva	"	カナダ	
1223	"	Milikowski	Boruch	27	神学生	Mir Yeshiva	"	USA	
1224	"	Abelson	Chaim	24	ラビ（Mir Yeshiva)		"	?	
1225	"	Zupnik	Moses	22	神学生	Mir Yeshiva	"	カナダ	
1226	"	Horowicz	Josef	22	神学生	Mir Yeshiva	"	?	
1227	"	Kapuszczewski	Josef	25	神学生	Mir Yeshiva	"	USA	
1228	"	Karpenszprung	Mordko	40	ラビ（Mir Yeshiva)		"	USA	
1229	"	Kawkiewicz	Jankiel	24	神学生	Mir Yeshiva	"	USA	
1230	"	Gusiacki	Moszk Socher	18			"		
1231	"	Perlow	Lejzor	25	神学生	Mir Yeshiva	"	USA	
1232	"	Rozental	Moses				"		
1233	Can.	Minderis	Stasys				"		
1234	Pol.	Birman	Hersz	23			"	ウルグアイ	
1235	"	Zerman	Mida Szolma	21		妻（?）	"	パラグアイ	
1236	"	Sender	Kane				"	USA?	
1237	"	Tchornicki	Wolf	20	学生		"	メキシコ	
1238	"	Plaskacz	Wladyslawa				"		
1239	"	Zigelberg	Marjan	47			"		
1240	"	Szymanska	Roza				"		
1241	"	Bejn	Leib Szmul	51	ラビ	妻（49）、子供３人 (18,16,10)	"	南アフリカ	
1242	"	Mincer	Pejsach	22	機械工		"	南アフリカ	

1243	〃	Dolinko	Dawid	32	Mir Yeshiva		〃	南アフリカ	まにら丸
1244	〃	Grodzienski	Bencjon	24			〃		
1245	〃	Ganc	Icchok Mendel	25	床製造		〃	ボンベイ	伏見丸
1246	〃	Granek	Szulem	24			〃		
1247	〃	Szmidt	Szloma	21			〃	ボンベイ	伏見丸
1248	〃	Margolin	Nachum	22			〃		
1249	〃	Lachowicki	Judel	25			〃		
1250	〃	Sznur	Hiel Natan	23			〃		
1251	〃	Orgler	Josif Izaak Ber	27	機械工		〃	南アフリカ	まにら丸
1252	Ger.	Krolik	Dora				〃		
1253	Pol.	Glass	Julian			(#246と同一)	〃		
1254	〃	Rozensztrauch	Maks	28	弁護士		〃	カナダ	平安丸
1255	〃	Szajkiewicz	Boruch	22			〃		
1256	UK	Berliner	Pinkus Imman.				〃		
1257	Pol.	Blat	Samuel Symcha	21	神学生	Mir Yeshiva	〃	USA	
1258	〃	Rafalowicz	Jerij				〃		
1259	〃	Kulik	Boruch	31	翻訳家		〃	オーストラリア	
1260	Ger.	Schwab	Izrael Gustav	29	ラビ (Kamieniecer Yeshiva)、#1261の夫	#1261の夫	〃	USA	
1261	〃	Schwab	Sara	20		#1260の妻	〃	USA	
1262	〃	Jacobsohn	Adolf	26	神学生	Kamieniecercer Yeshva	〃	USA	
1263	〃	Katz	Adolf	24	神学生	Kamieniecercer Yeshva	〃	サンフランシスコ	龍田丸
1264	Hol.	Gutwirth	Tenzer Nathan	24	神学生	Telser Yeshiva、妻(23)	〃	インドネシア	
1265	Pol.	Kulikier	Jankiel	23			〃		
1266	〃	Begin	Dawid Jankiel	20			〃		
1267	〃	Arnald	Leon	40	医師	(死亡?)	〃		
1268	〃	Chabas	Fryda			(死亡)	〃		
1269	〃	Chabas	Izaak			(死亡)	〃		
1270	〃	Jakobson	Sabina	38		子供一人(7)	〃		
1271	〃	Cunge	Stanislaw	40			〃		
1272	〃	Emanuela	E.				〃		
1273	〃	Wajngauz	Antel	28	神学生 (Kamieniecercer yeshiva)	妻(17)	〃	USA	
1274	Lit.	Alperowicz	Rachel	42		息子(14)	〃	USA	
1275	Pol.	Ejdelman	Lipa	32	ラビ (Mir Yeshiva)	#1276の夫	〃	USA	
1276	〃	Ejdelman	Ryfka	25		#1275の妻	〃	USA	
1277	〃	Fajnmesser	Akiba Lipa	27		妻(?)	〃		
1278	〃	Mendelbaum	Mosze	18	神学生	Lublin Yeshiva?	〃		
1279	〃	Lewinson	Gryna	30		#1280の妻、息子(3)	〃	USA	
1280	〃	Lewinson	Josel	49	ラビ (Mir Yeshiva)	#1279の夫	〃	USA	
1281	〃	Kahan	Gina	22	学生		〃	USA	

1282	"	Gorwic	Norbert Henryk	29	学生		"	カナダ	平安丸
1283	"	Lax	Helene	45		#1293 の妻	"		
1284	"	Basr	Izaak Ber	36	医師		"		
1285	"	Margules	Izaak	30	弁護士		"	USA	
1286	"	Epelbaum	Leonid	44	商人		"		
1287	"	Solc	Rachel	48	事務員		"		
1288	"	Bernsztejn	Morduch	25			"		
1289	"	Sprei	Salomon	33	医師		"		
1290	"	Sax	Henia Tauba	35		#1291 の妻	"		
1291	"	Sax	Samuel	46		#1290 の夫、子供２人(9､8)	"		
1292	"	Prochnik	Rela	40		#1294 の妻	"		
1293	"	Lax	Bernard	44		#1283 の夫、子供一人（8）	"		
1294	"	Prochnik	Henryk	45		#1292 の夫、子供２人（11、7）	"		
1295	"	Schafer	Ruth Franciaska	20		#1296 の妻	"		
1296	"	Schafer	Josef	37		#1295 の夫	"		
1297	"	Lax	Matylda	72		#1298 の妻	"		
1298	"	Lax	Baruch Josef	72		#1297 の夫	"		
1299	Can.	April	Sam				"	USA	
1300	Pol.	Apoteker	Dawid	32	商人		"		
1301	"	Sztulman	Dawid Chim	29	Klecker Yeshiva		"		
1302	"	Haftka	Paumena	28		#1303 の妻	"	?	
1303	"	Haftka	Samuel	35	事務員	#1302 の夫	"		
1304	"	Sawicka	Itta	33		#1305 の妻	"	サンフランシスコ	浅間丸
1305	"	Sawicki	Aron	31	教師	#1304 の夫	"	同上	同上
1306	"	Gogen	Saul Chaim	40			"		
1307	Ger.	Zelberger	Walter	19	神学生	Mir Yeshiva	"	USA	
1308	Pol.	Wisoker	Simon	32	ラビ	#1309 の夫	"	パレスチナ	
1309	"	Wisoker	Estera	30		#1308 の妻	"	同上	
1310	"	Poznanski	Jakob	29			"		
1311	"	Winiacki	Mark	25			"		
1312	"	Surawicz	Mordka	46	製造業	妻（42）、子供一人（19）	"	オーストラリア	
1313	"	Sybirski	Girsz	30			"	サンフランシスコ	クリーブランド号
1314	"	Kleinplac	Abram				"		
1315	"	Kleinplatz	Hilel				"		
1316	"	Rizikow	Bencjon	32	商人		"		
1317	Ger.	Zondgejmer	Julia				"	エクアドル	
1318	"	Miller	Leonard				"		
1319	"	Zongejmer	Moritz	46	製造業	#1320 の父、子供１人（14）	"	USA	
1320	"	Zongejmer	Hanni	17		#1319 の娘	"	同上	
1321	Pol.	Schenker	Oskar			#476 と同一	"		
1322	"	Edeltuch	Szmul	21	神学生	Mir Yeshiva	8・7	USA	
1323	"	Soroka	Samuel Chaim	21	神学生	Mir Yeshiva、妻（?）	"	?	
1324	"	Szebszajewicz	Pinchos	27	神学生	Mir Yeshiva	"	?	
1325	"	Szlomowicz	Abram	20	神学生	Mir Yeshiva、#1334 の弟	"	カナダ	

1326	"	Zlates	Izak Hirsz	21	神学生	Mir Yeshiva	"	パレスチナ	
1327	"	Szwarc	Abram	25	神学生	Mir Yeshiva	"	USA	
1328	"	Frydman	Wygdor	17	神学生	Mir Yeshiva	"	USA	
1329	"	Grynberg	Szmul	17	神学生	Mir Yeshiva	"	USA	
1330	"	Piterman	Moszek	18	神学生	Mir Yeshiva	"	USA	
1331	"	Kulik	Herc	20	神学生	Mir Yeshiva	"	USA	
1332	"	Florans	Aron	20	神学生	Mir Yeshiva	"	USA	
1333	"	Gardin	Abram	18	神学生	Mir Yeshiva	"	USA	
1334	"	Szlomowicz	Efraim	20	神学生	Mir Yeshiva、#1325 の兄	"	カナダ	
1335	"	Ginzburg	Morduch	33	ラビ (mir yeshiva)	妻 (26), 子供 1 人 (1)	"	USA	
1336	"	Berenbaun	Szmul	19	神学生	Mir Yeshiva	"	USA	
1337	"	Gardyn	Mowsze	24	神学生	Mir Yeshiva	"	USA	
1338	"	Feigelsztein	Salel	18	神学生	Mir Yeshiva	"	USA	
1339	"	Szapiro	Azolim Benc.	19	神学生	Mir Yeshiva	"	USA	
1340	"	Kaplun	Mowsza	30	神学生	Mir Yeshiva、妻 (19)	"	カナダ	
1341	"	Pruzanski	Chaim	20	神学生	Mir Yeshiva	"	カナダ	
1342		Jodla	Abram	21	神学生	Mir Yeshiva	"	メルボルン	諏訪丸
1343	"	Flajszaker	Lewi	22	神学生	Mir Yeshiva、妻（?）	"	USA	
1344	"	Zimbad	Szloma				"		
1345	"	Gotlib	Szolim	30	神学生	Mir Yeshiva	"	カナダ	
1346	"	Blumberg	Lejb	25	神学生	Mir Yeshiva	"	USA	
1347	"	Ajzen	Dawid	30	神学生	Mir Yeshiva	"	ボリビア	
1348	"	Krazner	Charon	18	神学生	Mir Yeshiva	"	USA	
1349	"	Soltan	Ela Boruch	19	神学生	Mir Yeshiva	"	USA	
1350	"	Margolis	Izrael	20	神学生	Mir Yeshiva	"	パレスチナ	
1351	"	Kagan	Meja	29	神学生	Mir Yeshiva、妻（31），子供 2 人 4,2)	"	USA	
1352	"	Piekarski	Jachok	28	神学生	Mir Yeshiva	"		
1353	"	Pinczuk	Pinchos	29	Mir Yeshiva		"		
1354	"	Wajngarten	Jakob	29	勤労者		"		
1355	"	Bucholcew	Zachafij	48			"		
1356	"	Rotsztajn	Moszek	27	森林保全	妻（29）	"	カナダ	氷川丸
1357	"	Cenzor	Zygmunt	33		#316 の息子	"	オーストラリア	鹿島丸
1358	"	Zelcer	Tewja	29	事務員		"		
1359	"	Grinberg	Rachmil	25	事務員		"	南アフリカ	まにら丸
1360	"	Gendelman	I.	?			"	同上	同上
1361	"	Wiecha	Chaim	23			"		
1362	"	Kaplanski	Szolem	22	社会労務士		"		
1363	"	Szpigelman	Abram	24			"		
1364	"	Surazski	Simon	29	神学生	Novaredoker Yeshiva	"		
1365	"	Fajnzynberg	Cheska	23	神学教師	妻、息子	"		
1366	"	Epsztejn	Josef	47			"		
1367	"	Gerichter	Szaja Lejzor	48	商人		"	上海	長崎丸
1368	"	Kramer	Lejb	23	神学生	libavitsch	"	カナダ	
1369	"	Kazdan	Chaim	57	ジャーナリスト	#1370 の父	"	サンフランシスコ	鎌倉丸
1370	"	Kazdan	Rafael	22		#1369 の息子	"	同上	同上
1371	"	Bauminger	Leon				"		

1372	"	Rubin	Malka	28			"		
1373	"	Gehtkopf	Chaim Dawid	31		妻（?）	"		
1374	Ger.	Walden	Meno Mozes	25	slabodker yeshiva	妻（24）	"		
1375	Pol.	Lanienter	Szaja	31	Lublin Yeshiva		"		
1376	"	Abramowicz	Bernard	24		#1377 の兄	"	南アフリカ	まにら丸
1377	"	Abramowicz	Samuel	22		#1376 の弟	"	同上	同上
1378	"	Muszynska	Mina	25		#1382 の妻？	"	南米	
1379	"	Borkiensztajn	Terca	47			"		
1380	"	Nowomiast	Moseu	36		#1381 の夫、娘	"	南米	
1381	"	Nowomiast	Mina	33		#1382 の妻	"	同上	
1382	"	Nowomiast	Stanislaw	36		#1378 の夫	"	同上	
1383	Lit.	Berkman	Dawid			(死亡)	"		
1384	"	Berkman	Paula			(死亡)	"		
1385	Pol.	Gelbfisz	Fejga				"		
1386	"	Durczyn	Wolf	31	神学生	Kamieniecercer Yeshva	"	USA	
1387	"	Warszawczyk	Wolf	31		妻 (31)	"		
1388	"	Gwireman	Izaak	21	学生		"	USA	
1389	"	Lichtygen	Szmul	22	Kamieniecercer Yeshva	#579 の兄弟	"	カナダ	
1390	"	Gulewski	Chaim	15	神学生	Klecher Yeshiva	"	USA	
1391	"	Szechman	Idel	18			"		
1392	"	Gorfinkel	Chaim	45	ラビ	#1454 の夫、子供２人 (2,0)	"	USA	
1393	"	Lew	Josel	16	神学生	klecher yeshiva	"		
1394	"	Frliczka	Josef				"		
1395							"		
1396	"	Frliczka	Zofja				"		
1397	"	Frliczka	Maria				"		
1398	"	Frliczka	Frank				"		
1399	"	Nejwelt	Alfred	52	工場経営	妻 (43), 子３人 (18, 12, 7)	"	カナダ	日枝丸
1400	"	Giterin	Lazar	36	商人	妻（29）	"		
1401	"	Borensztajn	Rachmil	29	電気技師		"	USA	
1402	"	Szejnbaum	Lejb	28	書店経営		"	カナダ	長崎丸
1403	"	Bursztyniarz	Michel	26	神学生	妻（16）	"	USA	
1404	UK	Dessler	Nachum	20			"	サンフランシスコ	クリーブランド号
1405	Pol.	Merzel	Uszer	23	Yeshiva		"	?	
1406	"	Sauberman	Awadja	29	ILublin Yeshiva		"	?	
1407	"	Najman	Moszek	20	神学生	Lublin Yeshiva、#1408 の弟	"	USA	
1408	"	Najman	Uszer	22	神学生	Lublin Yeshiva、#1407 の兄	"	USA	
1409	"	Topola	Jechok	20	神学生	Lublin Yeshiva	"	USA	
1410	"	Walkin	Szmul	45	ラビ (radin yeshiva)	妻（30）、子供３人 (6,5,2)	"	USA	
1411	"	Zajac	Awia	28	神学生	Kamieniecer Yeshiva	"	USA	

1412	"	Licht	Abram	22	神学生	Klecher yeshiva	"	USA	伏見丸
1413	"	Klinger	Icek	27			"		
1414	"	Klinger	Moses			#1568と同一	"		
1415	"	Klinger	Izrael	21		#1568の弟	"	USA	
1416	"	Donski	Ichok	37	商人		"	USA	
1417	"	Testel	Ichok				"		
1418	"	Orlean	Naftal	29			"		
1419	"	Nusbaum	Boruch	37	事務員	妻（?)	"	オーストラリア	
1420	"	Kunen	Izrael				"		
1421	"	Katz	Icchok	22	錠前修理	妻（?)、息子	"	南米	
1422	"	Kronzak	Enah	43	ラビ	妻（41)、	"		
1423	"	Wassercug	Lejb	19	神学生		"	USA	
1424	"	Abramowicz	Hersz	50	商人		"	上海	大洋丸
1425	"	Garden	Izrael	17	神学生	Lublin Yeshiva	"	USA	
1426	"	Morgensztern	Israel	29		妻（29)	"	パレスチナ	
1427		Beler	Abram	22	神学生	Lublin Yeshiva	"		
1428	"	Finkelsztejn	Benjamin	17	神学生	Lublin Yeshiva	"	USA	
1429	"	Zamoszczanski	Lejzer	25			"		
1430	"	Witelzon	Szmul	20	神学生	Lublin Yeshiva?、妻(?)	"	USA	
1431	"	Witelzon	Szloma	22	神学生	Lublin Yeshiva?	"	USA	
1432	"	Mandelbaum	Jakob	28	神学生	Lublin Yeshiva	"	USA	
1433	"	Szajnberg	Nuta	28	Warschauer Yeshiva		"	USA	
1434	"	Mojdeslawski	Arwe				"		
1435	"	Medelson	Mejer	23	神学生	Lublin Yeshiva	"		
1436	"	Ejger	Mendel	28		Lublin Yeshiva、妻(?)	"	USA	
1437	"	Ejger	Abram	26	神学生	Lublin Yeshiva	"	USA	
1438	"	Warastricz	Ignacy				"		
1439	"	Warastricz	Oswald	42			"		
1440	"	Izenberg	Hersz	29	商人		"	?	
1441	"	Frieszman	Aron	29	テーラー		"	サンフランシスコ	クリーブランド号
1442	"	Rozenfeld	Chaim				"		
1443	"	Wertans	Jakob	51		#577の夫、子供一人（9)	"	南米	
1444	"	Rozin	Izaak				"		
1445	"	Rozan	Musia				"		
1446	"	Lifschutz	Simon	35	商人		"	ビルマ	大洋丸
1447	"	Tempelman	Abram	27		#1448の長男	"		
1448	"	Tempelman	Jakob	53		#1447の父	"		
1449	"	Naieman	Marek				"		
1450	"	Zelcer	Aba	30	神学生	Mir Yeshiva	"	USA	
1451	"	Rogow	Liba	73			"		
1452	"	Solowiejczyk	Josif		ラビ（Mir Yeshiva)		"		
1453	"	Fainstein	Jechiel	31	Mir Yeshiva		"	USA	
1454	"	Gorfinkiel	Hano	31		#1392の妻	"		
1455	"	Lew	Dawid	15	神学生	toras chesed	"	USA	
1456	"	Lew	Hidla				"		
1457	"	Gotlib	Lejzor	22	神学生	Klecher Yeshiva	"	?	

1458	"	Gorelik	Jezachem	29	ラビ	妻（23）、子供一人（1）	"	サンフランシスコ	平洋丸
1459	"	Hazan	Ela				"		
1460	"	Gonienaztad	Norensztad				"		
1461	"	Borensztajn	Rachmil			（#1401 と同一？）	"		
1462	"	Sznajder	Nachman	26	ラビ（Mir Yeshiva）	妻（30）	"	USA	
1463	"	Susel	Sose	32	服職業		"		
1464	"	Zarkowski	Hersz	19	神学生	Mir Yeshiva、妻（?）	"	USA	
1465	"	Breskin	Judel	25	神学生	Radiner Yeshiva	"	パレスチナ	
1466	"	Cimring	Izrael	22	勤労者		"	南アフリカ	
1467	"	Liebman	Josef	26	大工		"	南アフリカ	まにら丸
1468	"	Englard	Izrael	25	織物商		"	同上	同上
1469	"	Sznur	Abram	21			"		
1470	"	Rozencweig	Moszek	23	印刷技術者		"	南アフリカ	まにら丸
1471	"	Damast	Josef	21			"		
1472	"	Rozen	Szloma	22	製靴業		"	ボンベイ	伏見丸
1473	"	Goldszmid	Moszek	23	製パン業		"	南アフリカ	まにら丸
1474	"	Langsam	Elias	26	テーラー		"	ボンベイ	伏見丸
1475	"	Brener	Szloma	23			"	南アフリカ	まにら丸
1476	"	Szapiro	Mowsza	30	錠前修理		"	ボンベイ	伏見丸
1477	"	Wajsbrod	Jakob	26	製本業		"		
1478	"	Szeniak	Chaim	41	ラビ	Reverends Yeshiva	"	?	
1479	"	Hendel	Icchok	23	神学生	lubavitsch	"	?	
1480	"	Szachter	Dawid	20	神学生	Bialistock Yeshiva	"	USA	
1481	"	Toldberg	Szmujlo				"		
1482	"	Faskowicz	Boruch	24	教師	Novaredoker Yeshiva	"		
1483	"	Goldberg	Tulel	23			"		
1484	"	Potasznik	Chaja	29	教師	#1485 の妻	"	USA	
1485	"	Potasznik	Mendel	36	教師	Radin Yeshiva、#1484 の夫	"	同上	
1486	"	Soroczkin	Izrael	16			"		
1487	"	Minkowski	Arnold	41			"		
1488	"	Soroczkin	Bencjon	16			"		
1489	"	Hirszson	Rebeka	28		#1582 の妻	"	?	
1490	"	Nimec	Samuel	59		妻（?）	"		
1491	"	Szafran	Icek	27	ラビ（Lubulin Yeshiva）	妻（23）、	"	USA	
1492	Lit.	Kacas	Motelis			（死亡？）	"		
1493	Pol.	Szafran	Josek	25	大工		"	USA	
1494	"	Lewin	Szepsil	26	商人		"	上海	上海丸
1495	"	Grynsztajn	Ludwik	27			"		
1496	"	Fiszbein	Szaloja	29		#1504 の兄	"	オタワ	
1497	"	Elbaum	Majer	30	セールスマン		"	イスラエル	
1498	"	Bezprozwanny	Fajwel	20	神学生	Novaredoker Yeshiva	"	USA	
1499	"	Mincberg	Jakob				"		
1500	"	Sroka	Nachman	25			"		

1501	”	Feferberg	Mejer				”		
1502	”	Soroczkin	Boruch	22	ラビ (Telzer Yeshiva)	妻（20）	”	?	
1503	Lit.	Bloch	Ela		ラビ		”		
1504	Pol.	Fiszbein	Izrael	27	事務員	#1496 の弟	”	オタワ	
1505	”	Nutkiewicz	Berek	31	商人		”	カナダ	氷川丸
1506	”	Nowgorodzki	Markus	36	事務員		”	USA	平安丸
1507	”	Lichtenatein	Kalman	27	神学生	Kamieniercer Yeshiva	”	カナダ	
1508	”	Milner	Hirsz	25	Kamieniercer Yeshiva	妻（17）	”		
1509	”	Kurta	Szmul				”		
1510	”	Licki	Mowsza	29	神学生	Slonimer Yeshiva、妻(?)、子（?）	”	USA	
1511	”	Kac	Maghel	26	化学技師		”	ニュージーランド	
1512	”	Izak	Ryfka				”		
1513	”	Suchowolski	Simon				”		
1514	”	Wajner	Abram	25	商人		”	USA	
1515	”	Koppel	Szloma	23	神学生	Mir Yeshiva	”		
1516	”	Rab	Moszko	21	商人		”		
1517	”	Grynganc	Markiel	32	神学生	Kamieniercer Yeshiva	”	?	
1518	”	Fajgenberg	Diana				”		
1519	”	Cwasman	Chaim	22			”		
1520	”	Rubinsztein	Abram	30	皮革業	#1523 の弟	”	オーストラリア	
1521	”	Towbin	Cichok				”		
1522	”	Czeczik	Omer	26	神学生	Radiner Yeshiva	”	USA	
1523	”	Rubinsztein	Daniel	31	勤労者	#1520 の兄、妻（?）	”	オーストラリア	
1524	”	Rotenberg	Josel	26	学生		”		
1525	”	Rozenwurcel	Hersz	21			”		
1526	”	Seligsohn	Abraham	32	物理学者		”		
1527	”	Feldman	Icko	44	商人	息子（17）	”		
1528	”	Rapoport	Izrael	36	毛皮商	#1530 の夫、息子（10）	”	USA	日枝丸
1529	”	Rapoport	Hersz	27	事務員		”		
1530	”	Rapoport	Ewa	38		#1528 の妻	”	USA	
1531	”	Brajtbard	Widor	28	神学生		”		
1532	”	Radziejewski	Daniel	45			”		
1533	”	Dzido	Janina				”		
1534	”	Pietruszka	Icek	20	神学生	Klecher Yeshiva	8・8		
1535	”	Gluskin	Leja				”		
1536	”	Miedzinski	Chaim	20	トリコット		”	南アフリカ	まにら丸
1537	”	Gudes	Hirsz	25		#1538 の息子	”	同上	同上
1538	”	Gudes	Simon	59	農業	#1537 の父	”	同上	同上
1539	”	Gudes	Daniel	27	商人		”	ビルマ	大洋丸
1540	”	Dajlies	Jankiel	40	商人		”	カナダ	日枝丸
1541	”	Szrajer	Henryk			#368 と同一	”		
1542	”	Cukierman	Izrael	35			”		
1543	”	Szczepanski	Jan				”		
1544	”	Majski	Samuel	20	事務員	#1545 の息子	”	USA	日枝丸

1545	"	Majska	Riwa	46		#1544 の母、子供２人（19、13）	"	同上	同上
1546	"	Budin	Berno	47		#1544 の叔父、妻（46）、子供（18）	"	同上	同上
1547	"	Zandberg	Leon				"	イスラエル	
1548	"	Kohen	Moses	18	神学生	Klecher Yeshiva	"		
1549	"	Fajgenblum	Cyrla	26	神学生	Beth Jacob	"	ウルグアイ	
1550	"	Baruch	Klemens	46	商人	妻（34）、息子(2)	"		
1551	"	Belfer	Chaim	29	労働者		8・9	南アフリカ	あふりか丸
1552	"	Bat	Abram	36	ラビ		"	同上	同上
1553	"	Bryskman	Pinchas	24	神学生	Mir Yeshiva	"	USA	
1554	"	Wajntraub	Moszek	19	神学生	Kamieniercer Yeshiva	"	USA	
1555	"	Cynowicz	Hersz	35	弁護士		"	USSR	
1556	"	Zmigrod	Samuel				"		
1557	"	Melup	Lejzor				"		
1558	"	Szumert	Maks	31	医師		"		
1559	"	Lakomski	Tadeusz				"		
1560	"	Wichowski	Stanislaw				"		
1561	"	Milrod	Izrael	29	事務員		"	上海	大洋丸
1562	"	Wolnik	Ignacy				"		
1563	"	Szmakfefer	Wlodzimierz				"		
1564	"	Warszawski	Icek	32	技師	妻（28）	"		
1565	"	Orbach	Abram	34	ビル技術者		"	ビルマ	大洋丸
1566	"	Drezner	Moszek	44		子供一人（18）	"		
1567	"	Sznol	Judka	24	学生		"		
1568	"	Klinger	Moszek	26	事務員	#1415 の兄	"	オーストラリア	
1569	"	Bluman	Nuta	26	技師	妻 (20)	"	カナダ	日枝丸
1570	"	Goldberg	Mordchaj	24			"		
1571	"	Berkowicz	Josef	40	製造業		"	ニュージーランド	
1572	"	Berkowicz	Dawid	44			"	同上	
1573	"	Berkowicz	Lejba	51	製造業	#1574 の父	"	同上	
1574	"	Berkowicz	Ris	19	学生	#1573 の息子	"	同上	
1575	"	Berkowicz	Szloma	45			"	同上	
1576	Lit.	Gelpern	Leja	30			"		
1577	Pol.	Ostrowska	Klara	?		#1578 の妻	"		
1578	"	Ostrowski	Jozef	37		#1577 の夫	"		
1579	"	Krongold	Henryk	31	事務員		"		
1580	"	Rozmann	Isaj				"		
1581	"	Biernacka	Halina				"		
1582	"	Hirszon	Josef	52	商人	#1489 の夫	"	?	
1583	"	Rotensztein	Maksym				"		
1584	"	Igla	Zofja	52	商人	夫（?）	"	オーストラリア	
1585	"	Kohn	Aron	30	森林保全		"	USA	
1586	"	Kohn	Chaskiel	22	中古業者		"	USA	
1587	Lit.	Goldfarnaite	Fruma	22			8・10	サンフランシスコ	クリーブランド号
1588	Pol.	Kalit	Simon	23	ラビ		"		
1589	"	Heyman	Josef	26	学生	#1590 の弟	"	メルボルン	鹿島丸
1590	"	Heyman	Marta	31	事務員	#1591 の妻	"	カナダ	平安丸

1591	"	Heyman	Stefan	32	技師	#1590 の夫、#1589 の兄	"	同上	同上
1592	"	Hejman	Jerzy	39	商人		"	?	
1593	"	Wiszniewski	Berko	26	神学生	Mir Yeshiva	"	?	
1594	"	Bursztynas	Abram	22	神学生	Novaredoker Yeshiva	"	USA	
1595	"	Janiszewski	Henryk				"		
1596	"	Radziszewski	Zygmunt				"		
1597	"	Goldflam	Jemja				"		
1598	"	Gorycka	Sara	22			"		
1599	"	Kaplon	Israel	37	商人		"	ビルマ	
1600	"	Kaplon	Hirsz	44	商人		"		
1601	"	Goldberg	Boruch	30	印刷業	妻（?）	"	USA	
1602	"	Dafner	Jokob	31	商人		"	オーストラリア	
1603	"	Krugman	Samuel	22		#1624 の弟	"	カナダ	平安丸
1604	"	Kmicik	Bronislaw	41	運転手		"		
1605	"	Szacher	Lejba	28	Mir Yeshiva		"	英国	
1606	"	Rajter	Mojsze	28	神学生	Mir Yeshiva	"	カナダ	
1607	"	Gorecki	Jakob				"		
1608	"	Pawlowicz	Olgierd	32			8・12		
1609	"	Szepsenwol	Fejga	18		妹（17）	"	USA	
1610	"	Bursztyn	Chaja	31	テーラー	子供２人(7,5)	"		
1611	"	Cukerfajn	Izrael	43		妻（36）、息子(11)	"		
1612	"	Golhelf	Chaim	24	商人		"	南アフリカ	
1613	"	Lewi	Esef	22	勤労者		"	ボンベイ	
1614	"	Stern	Sabina	50			"		
1615	"	Melup	Wulf				"		
1616	"	Lote	Rafal	43			"		
1617	"	Poznanska	Estera	32		#203 の妻	"	上海	神戸丸
1618	"	Raszkes	Moses				"		
1619	"	Semenski	Samuel	42	錠前修理	妻（35）	8・13	イスラエル	
1620	"	Hochgenmein	Teodora	53		#1621 の妻	"	カナダ	氷川丸
1621	"	Hochgenmein	Hersz	58		#1620 の夫	"	同上	同上
1622	"	Elelman-Igiel	Gustav	24	教師	#1623 の夫、子供（1）	"	パラグアイ	
1623	"	Elelman-Igiel	Rachela	26	技師	#1622 の妻	"	同上	
1624	"	Krugman	Heszel	28	商人	#1603 の兄	"	カナダ	平安丸
1625	"	Pomeranc	Abrum				"		
1626	"	Muszkat	Henryk	28	弁護士		"	英国	氷川丸
1627	"	Rozen	Chaim Lejzor	25	神学生	#1628 の妻	"	USA	
1628	"	Rozen	Icchok	29	事務員	#1627 の夫	"	同上	
1629	"	Zurawin	Symcha Binem	26	商人		"	USA	
1630	"	Nussbaum	Chaim				"		
1631	"	Nussbaum	Samuel				"	?	
1632	"	Nussbaum	Rachel				"		
1633	"	Grodzicki	Szyja	22	神学生	Kamieniercer Yeshiva	"	USA	
1634	"	Florsheim	Izaak				"		
1635	Ger.	Godlewski	Ludwik	23	Telcer Yeshiva	妻（17）、息子(1)	"	USA	
1636	Pol.	Bitter	Lejzer	34			"		
1637	"	Gitman	Stolik	23			"		

1638	"	Gliksman	Jonas	26	神学生？		"	USA	
1639	"	Sapir	Srul	27	Ostrower Yeshiva		"	USA	
1640	"	Slucki	Hersz	30			"		
1641	"	Slucki	Szejna	26			"		
1642	"	Jaskolski	Alfons				"		
1643	"	Kotlinski	Witold				"		
1644	"	Fijalkow	Szloma	23	学生		"	サンフランシスコ	鎌倉丸
1645	"	Gaworcyk	Rachmiel				"	ボンベイ	
1646	"	Edelman	Szolom	24	神学生	#1978 の弟	"	USA	
1647	"	Scheffer	Mejer	29	商人		"	USA	
1648	"	Gotz	Simon	20	運転手		"		
1649	"	Tyk	Szoel	23	歯科医		"	上海	長崎丸
1650	"	Orensztein	Naftula	36	材木研究者	妻（32）、子供２人（12,4）	"		
1651	"	Horowitz	Moses	36	商人		"		
1652	"	Horowitz	Samuel	31			"	USA	
1653	"	Frankel	Dawid	57	神学生		"	USA	
1654	"	Apotheker	Dawid	33		(#1300 と同一？)	"		
1655	Cze.	Fleischer	Leo	47	医師	家族二人	"	パレスチナ	
1656	"	Goldfrucht	Robert	38	製造業		"		
1657	"	Leitner	Bruno	19	神学生	Mir Yeshiva、#1658 の弟	"	USA	
1658	"	Leitner	Edward	24	神学生	Mir Ywshiva、#1657 の兄	"	USA	
1659	Pol.	Stern	Jozef	?	ラビ？	妻（?）	"	イスラエル	
1660	"	Rozenberg	Abram	24			"		
1661	"	Ratler	Jerzy				"		
1662	"	Brzezinska	Roza			（死亡）	"		
1663	"	Miedzygorski	Moszek	42	繊維業	妻（42）、子供（13）	"	USA	日枝丸
1664	"	Cymerman	Ajzyk	46	弁護士	#1667 の夫、息子（10）	"	メルボルン	鹿島丸
1665	"	Holcman	Rozalja				"		
1666	"	Holcman	Aron	32			"		
1667	"	Cymerman	Gienia	42		#1664 の妻	"	メルボルン	
1668	"	Miskiewicz	Bronislaw				"		
1669	"	Kuszynski	Basyli				"		
1670	"	Kaplan	Sura	28		#1671 の妻、子供３人（3,1,0）	"	サンフランシスコ	平洋丸
1671	"	Kaplan	Izrael	26	ラビ (MirYeshuva)	#1670 の夫	"	同上	同上
1672	"	Zilmann	Augusta				"		
1673	"	Szemen	Jechezkiel	33	技師		"	南アフリカ	まにら丸
1674	"	Krakowski	Wolf	32	菓子製造		"	同上	同上
1675	"	Ulrych	Boruch	32	事務員	妻（?）	"	南米	上海丸
1676	"	Rubinsztejn	Rachela				"		
1677	"	Kaufman	Icek	34			"		
1678	"	Horowitz	Mojsze	35	講演家	妻（39）、子供２人（3,2）	"		
1679	"	Szostak	Jozef				"		
1680	Ger.	Finkelstein	Teodor	41		妻（41）	"		
1681	Lit.	Pavilionene	Urbonene				"		
1682	Pol.	Sternberg	Leon			#385 と同一	"		
1683	"	Fuksman	Bencjon	25	神学生	Mir Yeshiva	"	USA	

1684	"	Erlich	Wiktor	25	ジャーナリスト	妻（20）、#1727 の息子	"	カナダ	平安丸
1685	"	Najmark	Dawid	50	ジャーナリスト		"	USA	日枝丸
1686	"	Lewin	Markus	29	ラビ	Lublin Yeshiva	"		
1687	"	Rabinowicz	Gene				"		
1688	"	Mandelman	Moszko	45			"	サンフランシスコ	浅間丸
1689	"	Rozen	Berek	41	ジャーナリスト	妻（36）	"	オーストラリア	
1690	"	Perec	Jozel	46	ラビ	Slonimer Yeshiva	"		
1691	"	Miller	Rusel	30	事務員	#1716 の夫	"		
1692	"	Litewka	Leja	24			"	サンフランシスコ	新田丸
1693	"	Berkman	Lejb	39	マネジャー		"	USA	
1694	"	Isserowicz	Henryk				"		
1695	"	Gentaft	Izaak	29	事務員		"		
1696	"	Bulajewski	Borys	26	勤労者		"	上海	上海丸
1697	"	Lapon	Cichok	29	事務員		"	南アフリカ	まにら丸
1698	Lit.	Rubinsteinas	Moze			（死亡？）	"		
1699	Pol.	Gutgold	Dwojra	36		（#1828 と同一？）	"		
1700	"	Gontwil	Ludwik				"		
1701	"	Rotenberg	Josef	43	教師		"	南米	
1702	"	Szimkin	Jozef	36	事務員		"		
1703	"	Dynkin	Zelga				"		
1704	"	Heller	Jozef	25	商人		"	USA	
1705	"	Dawidowicz	Simon	45	事務員		"	サンフランシスコ	鎌倉丸
1706	"	Kostelaniec	Abram	36	事務員		"		
1707	"	Cigas	Berko				"		
1708	"	Zojman	Wulf	29	神学生	Novaredoker Yeshiva	"	カナダ	
1709	"	Dynkin	Lew				"		
1710	"	Krojzilberg	Jakob	33	ジャーナリスト	#1711 の夫	"		
1711	"	Krojzilberg	Julja	24		#1710 の妻	"		
1712	"	Trunk	Ita	52			8・14	サンフランシスコ	龍田丸
1713	"	Trunk	Dada	51	給仕人	#1714 の妻	"	同上	同上
1714	"	Trunk	Chil	52	ライター	#1713 の夫	"	同上	同上
1715	"	Gotgajner	Josef	33	テーラー		"		
1716	"	Miller	Sima	22		#1691 の妻	"		
1717	Cze.	Fluser	Jaroslaw	40	事務員		"		
1718	"	Kleinberger	Zoltan	41	農業	妻（?）	"	イスラエル	上海丸
1719	Ger.	Loew	Ernst	36			"	USA	
1720	Pol.	Doliwa Skompski	Tadeus				"		
1721	"	Sztein	Samuel	26	神学生	Lubavitsch	"	モントリオール	
1722	"	Feder	Mowsza	20	神学生	Lubavitsch	"	USA	
1723	"	Rubin	Mojsze	21	神学生	Lubavitsch	"	USA	
1724	"	Noworudzki	Elja	37	事務員		"		
1725	Cze.	Brauer	Gejza	50			"		
1726	Pol.	Browerman	Jonas	42	ヘブライ語教師		"	カナダ	平安丸
1727	"	Erlich	Zofja	55	ジャーナリスト	#1684 の母	"	同上	同上
1728	"	Blond	Szejna	53	ジャーナリスト		"	サンフランシスコ	鎌倉丸
1729	"	Kamenszajn	Mowsze	64	ジャーナリスト		"	同上	同上
1730	"	Goldsztajn	Jan	21	学生		"	上海	鎌倉丸
1731	"	Erlich	Ruchla	32		#1732 の妻	"	サンフランシスコ	鎌倉丸
1732	"	Erlich	Aleksander	28		#1731 の夫、子供一人（2）	"	同上	同上

1733	"	Brutberg	Chaim	20		#1802 の息子	"	サンフランシスコ	浅間丸
1734	"	Dzikowski	Janusz	18			"	Van/Sea	氷川丸
1735	"	Warszawski	Icek	29	テーラー		"		
1736	"	Zlotowska	Gertruda	36		#1737 の妻	"		
1737	"	Zlotowski	Izrael	41		#1736 の夫	"		
1738	"	Zlotowski	Lazar	34		#1737 の弟	"		
1739	"	Perkowski	Srul	26	神学生	Mir Yeshiva	"	USA	
1740	"	Najman	Jankiel	32	ラビ (Kolnel Villa)	妻 (23)、娘 (0)	"	USA	
1741	"	Borensztein	Josef	25	ラビ?	妻 (18)	"		
1742	"	Hochlerer	Szloma	20	神学生	Lubavitsch	"		
1743	"	Tenebaum	Josef	23	神学生	Lubavitsch	"	オーストラリア	
1744	"	Rodal	Josef	26	神学生	Lubavitsch	"	カナダ	
1745	"	Rozenberg	Srul	21	神学生	Lubavitsch、#1095 の兄	"	USA	
1746	"	Bukiet	Chaim	21	神学生	Lubavitsch	"	パレスチナ	
1747	"	Fuke	Szmul	19	神学生	Lubavitsch	"	USA	
1748	"	Gerlicki	Moszek	25	神学生	Lubavitsch	"	カナダ	
1749	"	Rabinowicz	Abram	19	神学生		"	USA	
1750	"	Pelczar	Janina				"		
1751	"	Pelczar	Kazimierz				"		
1752	"	Sielman	Dawid			ビザを他人に譲渡。来日せず。	"		
1753	"	April	Leon	48			"	USA	
1754	"	Rachsztajn	Szmul	19			"		
1755	"	Rachsztajn	Moszek	34			"		
1756	"	Bargman	Berko	35	テーラー		"	オーストラリア	
1757	"	Berman	Izrael	59	大工		"	サンフランシスコ	龍田丸
1758	"	Melamedowicz	Fejga	29		#1768 の妻	"	USA	平安丸
1759	"	Gurfinkel	Josek	19	神学生	Lubavitsch	"	オーストラリア	
1760	"	Kerszencwejg	Chaim	29	テーラー	#1762 の兄	"	オーストラリア	
1761	UK	Foster	Anderson Herburt				"		
1762	Pol.	Kerszencwejg	Perla	29		#1760 の妹	"	オーストラリア	
1763	"	Wajland	Zelman	46			"		
1764	"	Dawidowicz	Zacharja	19			"		
1765	"	Milman	Szmul	44			"		
1766	"	Milman	Dwojra				"		
1767	"	Goldman	Kazimierz	22	学生		"	カナダ	
1768	"	Melamdowicz	Cichok	37		#1758 の夫、息子 (8)	"	USA	平安丸
1769	"	Gutgold	Aron	37	弁護士		"	オーストラリア	
1770	"	Jablonowski	Josef	35	製靴業		"		
1771	"	Kurszencwejg	Dwojra				"		
1772	"	Rozenberg	Matylda				8・15		
1773	"	Znamirowski	Simcha	37		#1774 の夫、息子 (6)	"	カナダ	
1774	"	Znamirowska	Leonia	37		#1773 の妻	"	同上	
1775	"	Lis	Eli	19	神学生	Lubavitsch	"		
1776	"	Zak	Chaim	19	神学生	Lubavitsch	"		
1777	"	Ginsburg	Chaim	50	ラビ	Reverends Yeshiva	"	USA	
1778	"	Brzyski	Mordka	17	神学生	Lubavitsch	"	USA	
1779	"	Rabinowicz	Pejsach	19	神学生	Lubavitsch、妻 (16)	"	USA	

1780	”	Gringlas	Mendel	23	神学生	Lubavitsch	”	?	
1781	”	Rubin	Hersz	19	神学生	Lubavitsch	”	USA	
1782	”	Prepet	Chaim	22	神学生	Lubavitsch	”	?	
1783	”	Lurje	Morduch	21	神学生	Lubavitsch	”	USA	
1784	”	Falman	Marian				”		
1785	”	Chanowicz	Gerszok	21	神学生	Lubavitsch	”	USA	
1786	”	Brizman	Simon	20	事務員		”	南米	
1787	”	Golab	Freda	27		#1788 の妻	”	オーストラリア	
1788	”	Golab	Stefan	31	ジャーナリスト	#1787 の夫	”	同上	
1789	”	Percowicz	Nochim	17	神学生	Mir Yeshiva	”	USA	
1790	”	Dawidowicz	Chaim	50	時計製造	妻（?）	”	オーストラリア	
1791	”	Grynsztejn	Michal			(#277 と同一 ?)	8・16		
1792	”	Szereszowska	Truba Brania	70		#1793 の妻	”	メキシコ	龍田丸
1793	”	Szereszowski	Rafal	72		#1792 の夫	”	同上	同上
1794	”	Zylberfenig	Icchok				”		
1795	”	Zylberfenig	Judel				”		
1796	”	Zylberfenig	[illegible]				”		
1797	”	Zelcer	Szaman	34	技師		”	ビルマ	大洋丸
1798	”	Herszbajn	Chaim Berek				”		
1799	”	Gilinski	Fajwysz Szlama	54		妻（38)、息子 (7)	”	USA	
1800	”	Waldberg	Brandla	40	X 線技師		”		
1801	”	Waldberg	Maria	47	歯科医		”		
1802	”	Brumberg	Jozef	43		#1803 の夫、#1733 の父、息子（14）	”	サンフランシスコ	浅間丸
1803	”	Brumberg	Chaja Laja	44		#1802 の妻	”	同上	同
1804	”	Binkowski	Jan	34	技師		”	カナダ	平安丸
1805	”	Odes	Lejwik	53	編集者	娘（16）	”		
1806	”	Epsztejn	Zusman	39			”		
1807	”	Kruk	Szmul	38	ジャーナリスト	#1809 の夫、息子（11）	”	USA	
1808	”	Szefner	Mery	20	学生		”	サンフランシスコ	鎌倉丸
1809	”	Kruk	Regina	42		#1807 の妻	”	USA	
1810	Lit.	Bialikiene	Bialikas Freide			(死亡 ?)	”		
1811	Pol.	Stolar	Lejzor	48			”		
1812	”	Goldgiter	Froim	30	勤労者	妻（35)、子供 (9)	”	オーストラリア	
1813	”	Czerwonogora	Roza	14		#1982 の娘	”	USA	
1814	”	Braude	Izak	49	事務員		”		
1815	”	Blas	Moses	34	皮革製造		”	USA	
1816	”	Trunk	Jozef				”	カナダ	
1817	”	Liwszyc	Rubin	20	学生	#1934 の息子	”		
1818	”	Liwszyk	Maria	16		#1934 の娘	”		
1819	”	Diner	Morszek	54	製靴業		”	USA	
1820	”	Federman	Sura	17	学生	#1880 の妹	”	サンフランシスコ	八幡丸
1821	”	Guterman	Perec	39		妻（?）	”		
1822	”	Lampert	Mieczyslaw	21	技師	#1823 の従弟	”	カナダ	氷川丸
1823	”	Rozenblum	Izrael	31	機械工	#1822 の従兄	”	上海	まにら丸
1824	”	Schwarzman	Szlama Uszer	22	神学生		”	USA	
1825	”	Rot	Hirsz	28	ジャーナリスト		”		

1826	"	Wajnberg	Josef	23	神学生	Lubavitsch	"	?	
1827	"	Kligsberg	Moszek Dawid	33	ジャーナリスト	妻（24）	"	サンフランシスコ	鎌倉丸
1828	"	Gutgold	Dwojra	35		夫（42）	"	同上	同上
1829	"	Lermer	Artur	32	教師	#1830の夫、息子（1）	"	カナダ	日枝丸
1830	"	Lermer	Miriam	26		#1829の妻	"	同上	同上
1831	"	Niezielinski	Ignacy				"		
1832	"	Pat	Noema Jacob	25		#200の妹	"	カナダ	
1833	"	Cwik	Szolomas				"	カナダ	
1834	"	Juwiler	Markus	36	編集者		"		
1835	"	Gorfinkel	Abram Icchok	19	神学生		"	南アフリカ	
1836	"	Kotlarski	Jozef	23	神学生	Lubavitsch	"	?	
1837	"	Rajczyk	Szmul Dawid	22	神学生	Lubavitsch	"	USA	
1838	"	Chanowicz	Fruma	27	学生	#1841の姉	"		
1839	"	Sapoczkinski	Mowsze	17	神学生	Lubavitsch	"	USA	
1840	"	Preger	Nachum	18	神学生	Lubavitsch	"	USA	
1841	"	Chanowic	Szmul	23	神学生	Lubavitsch、#1838の弟	"	USA	
1842	"	Finkelstein	Izaak Majer	28	レース職人		"	USA	
1843	"	Redler	Artur	35	経済評論家		"	USA	
1844	"	Michrowski	Janusz Tad.	29	画家	妻（?)	8・17	カナダ	
1845	"	Kaszynski	Tadeusz	29			"		
1846	"	Orlowski	Jerzy				"		
1847	"	Juniszewski	Eduard				"		
1848	"	Kulczycka	Zofja	19	学生		"		
1849	"	Wajnberger	Michel	56		#1850の夫、#1851の父	"		
1850	"	Wajnberger	Anna	53		#1849の妻、#1851の母	"		
1851	"	Wajnberger	Teodor	20		#1849、#1850の息子	"		
1852	"	Rozwadowska	Irena				"		
1853	"	Szwarcman	Josef	55	書店経営	#1897の夫、#1854の父	"	USA	
1854	"	Szwarcman	Aleksander	24		#1853、#1897の息子	"	同上	
1855	"	Fajsenbaum	Aleksander	44	製造業		"		
1856	"	Bloch	Szoszana				"		
1857	"	Lanchart	Izaak	19	学生	#1858の兄	"	USA	
1858	"	Lanchart	Leo	17	学生	#1857の弟	"	同上	
1859	"	Tajch	Jakob	33	商人	家族一人	"	?	大洋丸
1860	"	Milotek	Josek	22	神学生		"	カナダ	
1861	"	Jakubowic	Moszek	?	Yeshiva		"	USA	
1862	"	Aleksandrowicz	Maks.	39	商人		"	サンフランシスコ	龍田丸
1863	"	Aleksandrowicz	Ignacy	50	弁護士		"	同上	同上
1864	"	Lieberfrojnd	Henryk				"	USA	
1865	"	Lieberfrojnd	Marcin	32	弁護士		"	USA	
1866	"	Pecyna	Motel	21	神学生		"		
1867	"	Tempelhof	Mieczyslaw				"		
1868	"	Gringauz	Izrael	33		妻（29）	"		
1869	"	Mendelson	Manas	46	商人		"		
1870	"	Gasner	Hersz	40	商人		"	USA	鎌倉丸

1871	"	Wolchajm	Boruch	33	神学生		"	?	
1872	"	Pinkus	Henryk	47	時計製造		"	エクアドル	
1873	"	Pinkus	Leja	41			"	同上	
1874	"	Sobolewski	Henryk				"		
1875	"	Fisz	Szloma			家族３人	"	ウルグアイ	
1876	"	Ofman	Paulina	32	看護師	#1949 の妻、息子（8）	"	サンフランシスコ	鎌倉丸
1877	"	Wornik	Hena				"		
1878	"	Kolanski	Aleksander				"		
1879	"	Horodysz	Mowsza				"		
1880	"	Federman	Saul	18	パン職人	#1820 の兄	"	サンフランシスコ	
1881	"	Milrom	Srul	30	テーラー	妻（30）	"	USA	
1882	"	Bernsztejn	Zelda	33	テーラー	娘（9）	"	カナダ	平安丸
1883	Lit.	Adamaite	Elena			（死亡？）	"		
1884	Pol.	Nelkenbaum	Lejba	39	Yeshiva	Lubavitsch	"		
1885	"	Kuperman	Icchok	32	神学生	Lublin Yeshiva?	"	USA	
1886	"	Cukier	Majer	29	linotypist		"	カナダ	
1887	Cze.	Rhach	Rudolf	39		妻（37）	"	オーストラリア	
1888	Pol.	Frydman	Jakob	28	義歯工		"	ポーランド	
1889	"	Frydman	Boruch	31	織物商		"		
1890	USA	Beckelman	Moses	34		Page26 ,"Flight & Rescue"	"		
1891	Pol.	Zelmanowicz	Jenta	51		#1892 の妻	"	カナダ	
1892	"	Zelmanowicz	Froim	55		#1891 の夫、子供２人（17,16）	"	同上	
1893	"	Tilinska	Liba				"		
1894	"	Gister	Ryfka	41			"		
1895	"	Gerc	Jakob	46	ジャーナリスト	妻（40）、子供２人（14､8）	"	USA	
1896	"	Roguski	Stefan				"		
1897	"	Szwarcman	Golda	54		#1853 の妻	"	USA	
1898	"	Iwanicki	Jerzy				8・19		
1899	"	Rozenberg	Szmul	22	Mir Yeshiva		"		
1900	"	Liker	Szyja	42	エージェント		"	アルゼンチン	
1901	"	Liker	Szyja			（#1900 と同一？）	"		
1902	"	Fiszgendler	Rubin	26			"		
1903	"	Grynberg	Jankiel	30	神学生	Mir Yeshiva	"	USA	
1904	Lit.	Zibavicios	Liudas	45			"		
1905	Pol.	Wajnsztajn	Nison				"		
1906	"	Wajnsztajn	Jakob				"		
1907	"	Rubinsztajn	Gilel	40	商人		"	カナダ	
1908	Can.	April	Tauba				"	USA	
1909	Pol.	Sztejnwach	Pinchos	35		妻（39）	"	サンフランシスコ	浅間丸
1910	"	Sapir	Seba	30			"		
1911	"	Gabaj	Sura	27	Yeshiva		"	USA	
1912	"	Kruk	Sima	29	理髪師	#1913 の夫	"	USA	
1913	"	Kruk	Roza	23		#1912 の妻	"	オーストラリア	
1914	"	Szmid	Basia				"		
1915	"	Fajgenbaum	Icko	33			"		
1915a	"	Wojlang	Sara	18			"	サンフランシスコ	クリーブランド号

1916	"	Rudawski	Chaim	46		妻、息子	"	USA	
1917	"	Muller	Izaak	36	神学生		"	USA	
1918	"	Seroka	Simon	22	神学生	Telczer Yeshiva	"	?	
1919	UK	Klein	Manna				"		
1920	"	Klein	Dawid				"		
1921	Pol.	Bilgoraj	Icek	16	神学生	Mir Yeshiva	"	USA	
1922	"	Sztiglic	Izrael	17	神学生	Lublin Yeshiva	"	USA	
1923	"	Pastag	Dawid	22	神学生	Mir Yeshiva?	"	USA	
1924	"	Lipszyc	Nuta	22	神学生		"	?	
1925	Lit.	Mazijas	Azonas				"		
1926	Pol.	Skalski	Stefan				"		
1927	"	Gradje	Majer	21	神学生	Lublin Yeshiva	"	USA	
1928	Cze.	Kirszner	Julius				"		
1929	Pol.	Gutgesztajn	Hersz				"		
1930	"	Pszewuzman	Josef	19		#1931 の息子	"	USA	
1931	"	Pszewuzman	Abram	46	商人	#1930 の父	"	USA	
1932	"	Erszbercz	Abram	25			"		
1933	"	Fajgman	Dawid	19	テーラー	#1940 の息子	"		
1934	"	Liwszyc	Abram	46		#1817、#1818 の父	"		
1935	"	Blit	Abram	33	事務員		"	USA	
1936	"	Szafran	Nachman	48	事務員		"	カナダ	平安丸
1937	"	Mlotek	Abram	22	tricot		"	カナダ	
1938	"	Brandys	Lejb	41	弁護士		"	サンフランシスコ	
1939	"	Winograd	Srul	42	テーラー		"	カナダ	
1940	"	Krysztal	Hawa Laja	47	教師	#1933 の父	"	オーストラリア	
1941	Ger.	Kirshner	Ida				"	オーストラリア?	
1942	"	Kirschner	Heda Rut				"	オーストラリア?	
1943	Pol.	Kawa	Manata	30	神学生	Mir Yeshiva、息子（10）	"		
1944	"	Cukierman	Szaja			(#657 と同一?)	"		
1945	"	Moses	Mendel	55	ジャーナリスト	妻（41）、子供2人(17,14)	"	USA	クリーニッジ号
1946	"	Wargawtik	Zorah			(#455 と同一?)	"		
1947	"	Szefner	Boruch	47	ジャーナリスト		"	サンフランシスコ	鎌倉丸
1948	"	Gutgeshalt	Marrem				"		
1949	"	Ofman	Jozef	36	事務員	#1876 の夫	"	サンフランシスコ	鎌倉丸
1950	"	Grosfater	Saul	37	事務員		"		
1951	"	Miedzylewski	Dawid	37	テーラー	家族二人	"	ビルマ	
1952	"	Szpicberg	Zelik	23			"		
1953	"	Pastag	Mojsze	21	神学生	Mir Yeshiva?	"	USA	
1954	"	Zandberg	Eljasz	26	Yeshiva		"	?	
1955	"	Rozencwajg	Chil	18	神学生	Lublin Yeshiva ?	"	USA	
1956	"	Huberman	Efraim				"		
1957	"	Kaufman	Sara				"		
1958	UK	Davis	Sidney	41			"		
1959	Cze.	Szekely	Julius	31			"		
1960	"	Ornstein	Peter	18		#1961, 1962 の息子	"	南米	
1961	"	Ornstein	Edith	40		#1962 の妻、#1960 の母、子供（13）	"	同上	

1962	"	Ornstein	Ernst	43	機械工	#1961 の夫、#1960 の父	"	同上	
1963	"	Heller	Fania	34			"	USA	
1964	"	Jakobovitsch	Emil			家族一人	"	イスラエル	上海丸
1965	Ger.	Lindeman	Paula	17		#1966 の娘	"	オーストラリア	
1966	"	Lindeman	Mira	42	美容師	#1965 の母、息子（13）	"	同上	
1967	"	Friedlander	Alfred	54		妻（?）	"	オーストラリア	
1968	Pol.	Ginsburg	Ilia	25		妻（24）	"		
1969	"	Perkal	Szlama	26	布織		"	カナダ	
1970	"	Fiszman	Josef	22		#1971 の息子	"	USA	
1971	"	Fiszman	Jankiel	49	ジャーナリスト	#1970 の父	"	同上	
1972	"	Lewin	Samuel	29	神学生	Lublin Yeshiva	"		
1973	"	Oler	Laja	42	テーラー	娘２人（13, 13)	"	カナダ	平安丸
1974	"	Oler	Leon				"		
1975	"	Pat	Ryfka	50		#200 の母	"	カナダ	
1976	"	Sztycer	Nachman	24	店員		"		
1977	"	Kusznir	Rubin	46	手袋製造	妻（48)、息子(18,16)	"	?	
1978	"	Cukier	Chana	42			"	イスラエル	
1979	"	Cukier	Abram	42			"	イスラエル	
1980	"	Andrejewska	Luba	38			"		
1981	"	Pudlowski	Zelman	47	事務員		"		
1982	"	Czerwonogora	Szloma	40		#1813 の母	"	メキシコ	
1983	"	Zilberg	Icek				8・20		
1984	"	Zilberg	Chaja				"		
1985	"	Hofman	Majer	30			"		
1986	"	Piekarz	Lejba	47			"		
1987	"	Zalcman	Bracha	25			"		
1988	"	Dobekirer	Jechil	34		#2008 の夫、娘（5）	"		
1989	"	Lewin	Rachil	35			"		
1990	"	Piekarz	Mordka	32			"		
1991	"	Wolf	Nisen Lejb	31			"		
1992	"	Lewin	Jochel	43			"	サンフランシスコ	浅間丸
1993	"	Bursztyn	Benjamin	39		妻（37)、子供(3)	"	USA	
1994	"	Szpicman	Lejb	37			"	USA	
1995	"	Kantorowicz	Nochum	43			"	サンフランシスコ	浅間丸
1996	"	Rassin	Mojsze	37	製造業	妻（29）	"	サンフランシスコ	クリーブランド号
1997	"	Goldfarb	Klemens	31			"	イスラエル	
1998	"	Rozenbojm	Jakob	45			"		
1999	"	Federman	Chana	38		#2000 の妻	"	USA	氷川丸
2000	"	Federman	Rafal	49		#1999 の夫	"	同上	同上
2001	"	Tomkiewicz	Benjamin				"		
2002	"	Feldblum	Szymon			(#285 と同一?)	"		
2003	"	Wallach	Bernard	28			"		
2004	"	Ambaras	Ruchla	48		子供２人(18,12)	"	カナダ	
2005	"	Geldron	Boruch	41	事務員		"	オーストラリア	
2006	"	Rychter	Gruzenberg				"		
2007	"	Heilpern	Ernestyna			(#187 と同一?)	"		

2008	"	Dubekirer	Szejntina	33		#1988 の妻	"	USA	
2009	"	Kaliski	Jakob	46	弁護士	妻（42）、息子（16, 11）	"	カナダ	平安丸
2010	"	Langsam	Maryla	20	事務員		"	同上	同上
2011	"	Szatensztein	Aleksander	16		#175, #2012 の長男	"		
2012	"	Szatensztein	Anna	45		#175 の妻、#2011 の母	"	USA	
2013	"	Bachrach	Hersz	36	印刷業	#2014 の夫、子供一人 (9)	"	メルボルン	
2014	"	Bachrach	Hana	34	広告業	#2013 の妻	"	同上	
2015	"	Romanowski	Wolf	35			"		
2016	"	Malowist	Szymon	43		#2017 の夫、子供一人（12）	"	サンフランシスコ	浅間丸
2017	"	Malowist	Marja	40		#2016 の妻	"	同上	同上
2018	"	Zarachowicz	Srul			(#398 と同一？)	"		
2019	"	Kleinbaum	Izaak	30		妻（?）	"	パレスチナ	
2020	"	Tenenbaum	Chaim	48			"		
2021	"	Polakiewicz	Moszek	37	弁護士	妻（26）	"		
2022	"	Fajans	Ludwik			(死亡)	"		
2023	"	Fajans	Ludwika Irena			(死亡)	"		
2024	"	Blat	Pinchos	18	神学生	Lubavitsch	"	USA	
2025	"	Lederhendler	Szmul	20	神学生	Lubavitsch	"	USA	
2026	"	Partonicz	Josef	21	神学生	Lubavitsch	"	ポーランド	
2027	"	Chanowicz	Izrael	15	神学生	Lubavitsch、#1785 の弟	"	USA	
2028	"	Karp	Chaim	18		妻（?）	"		
2029	"	Goldman	Simon	15	神学生	Lubavitsch	"	USA	
2030	"	Balter	Jonas	18	神学生	Lubavitsch	"	南アフリカ	あふりか丸
2031	"	Deren	Chaskiel	14	神学生	Lubavitsch	"	パレスチナ	
2032	"	Langer	Mozes	28	神学生	妻（?）	"	USA	長崎丸
2033	"	Stadlin	Maurycy				"	同上	同上
2034	"	Rapoport	Hersz			(#1529 と同一？)	"		
2035	"	Gurdus	Jakob	34			"		
2036	"	Beiles	Wolf	34			"	カナダ	
2037	"	Rapoport	Jos Boruch	27			"		
2038	"	Wajzbrem	Oscar			(#226 と同一？)	"		
2039	"	Wolanow	Jakob	46		(#118 と同一？)	"		
2040	"	Ostrower	Abram	39		(#128 と同一？)	"		
2041	"	Sztikgold	Elzbieta	47		#2042 の母	"	サンフランシスコ	ブラジル丸
2042	"	Sztikgold	Stefania	19		#2041 の娘	"	同上	同上
2043	"	Litewka	Julko	30	事務員		"	サンフランシスコ	新田丸
2044	"	Cukier	Mojsze	30			"		
2045	"	Braude	Zelman			(死亡)	"		
2046	"	Lenger	Sara				"		
2047	Lit.	Wejman	Elena	37		家族一人	"	USA	
2048	"	Kowarska	Roza			(#609 と同一？)	"		
2049	Pol.	Jakobson	Teodor			(#952 と同一？)	"		

2050	"	Wojciechowski	Stefan				"		
2051	"	Kestenberg	Chil	53		(#237と同一?)	"		
2052	"	Zaklika	Stanislaw				"		
2053	Lit.	Tajfman	Katarzyna			(死亡?)	"		
2054	Pol.	Riedl	Ewa	24			"	Van/Sea	氷川丸
2055	"	Kaufer	Jakob	33		妻(28)	"		
2056	"	Klodawski	Abram				"		
2057	"	Szatensztejn	Wladyslaw			(#175と同一?)	"		
2058	"	Ginzburg	Debora				"		
2059	Cze.	Reizman	Eugeni	40			"		
2060	"	Hoflich	Eugen	35			"		
2061	"	Deutschova	Maria			(死亡)	"		
2062	"	Danzinger	Nikolaj				"		
2063	Pol.	Frydman	Simon	25	事務員		"	ボンベイ	伏見丸
2064	"	Majzlic	Szlama	19	神学生	Mir Yeshiva?	8・21		
2065	Cze.	Lobl	Artur	50	製造業	妻(27)	"	USA	
2066	"	Hertzka	Egon	[illegible]		妻(33)、息子(10)	"		
2067	"	Deutsch	Arpad	38		妻(33),子供(29, 28)	"		
2068	Pol.	Suchowolski	Elia				"		
2069	"	Bronsztein	Szyia	21	神学生	Lubavutsch	"	パレスチナ	
2070	"	Fiszof	Chil Benjamin	17	神学生	Telczer Yeshiva	"	USA	
2071	"	Bregman	Hersz	30			"	ビルマ	大洋丸
2072	"	Aslanowicz	Maria				"		
2073	"	Michalski	Jan				"		
2074	"	Zambrowicz	Janusz				"		
2075	"	Zambrowicz	Maja				"		
2076	Lit.	Swirska	Sonia			(死亡?)	"		
2077	Pol.	Ehrlich	Arja				"	?	
2078	"	Honigsberg	Zelik	61		#2080の夫、#422の父	"	カナダ	
2079	"	Szyger	Wanda	26		#2081の妹	"	南米	長崎丸
2080	"	Honigsberg	Rajzla	57		#2078の妻、#422の母、息子(20)	"	サンフランシスコ	
2081	"	Szyfer	Jerzy	33	技師	#2079の兄、妻(27)	"	南米	長崎丸
2082	Cze.	Leblova	Mariana				"		
2083	Pol.	Sokonska	Majka				"		
2084	"	Morenshildt	Sergiusz			子供1人	"		
2085	"	Szkornik	Zofja				"		
2086	Lit.	Mangejm	Sara	22			"	オーストラリア?	
2087	"	Bela	Jonas				"		
2088	Pol.	Szapiro	Salomon	29	ラビ	妻(27)	"	USA	
2089	"	Rymer	Mojzesz	30	書店経営	妻(21)	"	サンフランシスコ	鎌倉丸
2090	"	Dreszerowa	Anna	47		子供3人(17,15,12)	"	サンフランシスコ	龍田丸
2091	"	Lewin	Srul	20			"		
2092	"	Sadowski	Izrael	64			"		
2093	"	Haftka	Hela	37	ジャーナリスト	#459の妻	"		
2094	"	Baumgarten	Necha	40		#2106の妻、子供(13)	"	サンフランシスコ	浅間丸
2095	"	Wulfson	Hersz	49	商人	妻(46)	"	パレスチナ	

2096	"	Frydman	Izrael	24	グラス職人	妻（?）（死亡）	"		
2097	"	Rakowicka	Miriam	21			"		
2098	"	Rakowicki	Dawid	44			"		
2099	"	Trepman	Abram			(#955 と同一 ?)	"		
2100	"	Blumental	Mordka	46	商人		"	ニュージーランド	
2101	"	Mandelman	Pesza	43			"	サンフランシスコ	浅間丸
2102	"	Karafka	Dawid	37			"		
2103	"	Giwelber	Awrum				"		
2104	"	Lipmanowicz	Dydje	19	神学生	Lublin Yeshiva	"	USA	
2105	"	Koziebroda	Dawid	27	教師		"	Van/Sea	氷川丸
2106	"	Baumgarten	Nusin	47		#2094 の夫	"	サンフランシスコ	浅間丸
2107	"	Muchniewska	Natalja	52			"	?	
2108	"	Flakser	Mandel	43	ジャーナリスト	妻（?）	"	南米	
2109	"	Oldak	Chajkiel	53		妻（46）、娘（18、18）	"		
2110	"	Nowoprucki	Mojzesz	30			"		
2111	"	Cyrlin	Ruwim	32			"		
2112	"	Krawiec	Menachim	33	ラビ	Klecker Yeshiva、妻（20）	"	カナダ	
2113	"	Polak	Lewi	55	製造業		"	カナダ	平安丸
2114	"	Rachman	Mandberg				"		
2115	"	Milrad	Symcha	29			8・22	?	平安丸
2116	"	Blam	Fajwel			(死亡)	"		
2117	"	Berensztejn	Jozef	24	神学生		"	?	
2118	"	Goldsztein	Stefan	36	技師		"	カナダ	平安丸
2119	UK	Toker	Isaak	33		妻（21）、子供２人（11、8）	"	サンフランシスコ	クリーブランド号
2120	Pol.	Szporn	Joachim			(#85 と同一 ?)	"		
2121	"	Jaglom	Moses	48		妻（38）、子供（10）	"		
2122	"	Paciorek	Franciszek				"		
2123	"	Paciorek	Zpignic				"		
2124	Lit.	Levas	Emanuel			(死亡 ?)	"		
2125	Pol.	Szpiro	Izrael	67			"		
2126	"	Lutyk	Zofja	35		子供３人（16、13、11）	"	カナダ	氷川丸
2127	"	Ryzinski	Lucjan				"		
2128	"	Gewirc	Dora	32			"		
2129	"	Bojko	Dawid	34	商人		"		
2130	"	Ajgengold	Symcha	42	製造業		"	カナダ	
2131	"	Haftka	Samuel	35		(#1303 と同一 ?)	"		
2132	"	Szporn	Jakob	40	商人	#2120 の息子、妻（27）	"	ブラジル	
2133	"	Gross	Priva	30		夫（34）	"	サンフランシスコ	龍田丸
2134	Lit.	Nachmanas	Spicas				8・23		
2135	"	Kontantas	Pranas	37		夫（34）	"	サンフランシスコ	クリーブランド号
2136	"	Ippa	Liza			(死亡 ?)	8・24		
2137	"	Lifszycas	Judelis	57			8・26		
2138	"	Libermanas	Gubas			(死亡 ?)	"		
2139	"	Chaimas	Abelis			(死亡)	"		

Pol-ポーランド、Lit-リトアニア、Ger-ドイツ、Hol-オランダ、Cze-チェコスロバキア、UK-イギリス、Lux-ルクセンブルグ、Can-カナダ

おわりに

前著『命のビザ、遥かなる旅路 ~杉原千畝を陰で支えた日本人たち~』及びその英語版『Visas of Life and the Epic Journey』の出版は多くの展開をもたらしてくれました。「はじめに」で述べた通り、二〇一〇年八月に思い切ってアメリカ取材旅行を実施した結果、最大の目的であった7人の「人探し」において、5人もの人たちの消息が判明したのです。彼らがウラジオストクから日本の老朽船に乗って敦賀にたどり着いたのが一九四一年初頭でした。そして彼らの身元が判明したのは二〇一四年から二〇一五年にかけてのことでしたから、その間に70数年の時が流れたことになります。

周囲の方々には「奇跡に近い!」と驚かれ、また「よくやりましたね!」と労っていただきました。さらに、身元判明者の家族からは「よくぞ見つけてくれました」と感謝もされました。これらの反響を受け、私はようやく決心することができました。

それは、このページに入る前にご覧いただいたと思いますが、私の独自調査による「杉原リスト」を公表することでした。当初、周囲の人から「個人情報に触れるのでは?」との注意喚起がありましたが、「第5章」の143ページでご紹介したネイサン・ルーインさんから「素晴らしい調査だ」とお褒めをいただきました。

以上のような経緯があり、最終的には外務省外交史料館のご担当者からいただいた次のコメントで公表を決心した次第です。

「このリストはすでに公にされているものであり、それに貴方の独自調査の結果を加えて公表することはまったく差支えありません」

本書は日本語版ですから、海外在住の杉原サバイバーの家族の目に触れる機会は少ないかも知れませんが、いつか予期しない出来事が待ち受けていないとも限りません。

最後に、前著に引き続き本書の出版を快くお引き受けくださいました交通新聞社・常務取締役出版事業部の岡村寿様、および編集者として懇切にお世話くださいました同部編集3課長の太田浩道様に感謝申し上げます。また、同社との仲介の労をお取りくださいました日本観光振興協会理事長の最明仁様にお礼申し上げます。

さらに、表紙帯に素晴らしいメッセージをお寄せくださいました駐日リトアニア共和国特命全権大使のオウレリウス・ジーカス様に心からの謝意と敬意を表します。

二〇二四年七月　　北出　明

主な参考文献

『六千人の命のビザ』（杉原幸子著、大正出版）
『自由への逃走』（中日新聞社会部編、東京新聞出版局）
『日本に来たユダヤ難民』（ゾラフ・バルハフティク著、滝川義人訳、原書房）
『Rachel and Aleks』（シルビア・スモーラー著、iUnivers）
『エスケープ・トゥ・ザ・フューチャーズ』（レオ・メラメド著、可児滋訳、ときわ総合サービス）
『歴史街道』（2013年11月号、PHP研究所）
『スギハラ・ダラー』（手嶋龍一著、新潮社）
『諜報の天才 杉原千畝』（白石仁章著、新潮選書）
『命のビザを繋いだ男』（山田純大著、NHK出版）
『ホロコーストと外交官』（モルデカイ・パルディール著、松宮克昌訳、人文書院）
『ホロコースト前夜の脱出』（下山二郎著、国書刊行会）
『ナチスから逃がれたユダヤ人少女の上海日記』（ウルスラ・ベーコン著、和田まゆ子訳、祥伝社）
『水晶の夜』（H・J・デッシャー著、小岸昭訳、人文書院）
『日本のユダヤ人政策 1931―1945』（阪東宏著、未来社）
『日本交通公社七十年史』（株式会社日本交通公社）
『日本国有鉄道百年史』（日本国有鉄道）
『観光文化・別冊2006 July』（伊藤明著、財団法人日本交通公社）
『日本郵船株式会社七十年史』（日本郵船株式会社）
『太平洋を渡った杉原ビザ』（バンクーバー新報 企画・編、高橋文著）
『残影 敵中横断三百里』（中島欣也著、新潟日報事業社）
『杉原千畝 情報に賭けた外交官』（白石仁章著、新潮社）
『ヤド・ヴァシェームの丘に』（稲葉千晴著、成文社）
『日本・ポーランド関係史』（エヴァ・パワシュ＝ルトコフスカ、アンジェイ・T・ロメル共著、柴理子訳、彩流社）
『タデウシュ・ロメル駐日ポーランド共和国大使と極東のユダヤ人戦争避難民』（オルガ・バルバシェヴィチ編集）
『The Just』（ヤン・ブロッケン著、Scribe）
『リトアニアと杉原千畝』（重枝豊英著、国書刊行会）
『杉原千畝とスターリン』（石郷岡建著、五月書房新社）

北出明（きたで　あきら）
1944（昭和19）年三重県上野市（現・伊賀市）生まれ。慶應義塾大学文学部仏文科卒、国際観光振興会（現・国際観光振興機構＝ＪＮＴＯ）に就職。ジュネーブ、ダラス、ソウルの各在外事務所に勤務。1998（平成10）年国際観光振興機構コンベンション誘致部長。2004（平成16）年ＪＮＴＯ退職。著書に『風雪の歌人』（講談社出版サービスセンター）、『争いのなき国と国なれ』（英治出版）、『韓国の観光カリスマ』（交通新聞社）、『釜山港物語』（社会評論社）がある。

交通新聞社新書180

命のビザ、杉原リストは語る

日本を経由したユダヤ難民逃避行

（定価はカバーに表示してあります）

2024年7月16日　第1刷発行

著　者――北出明
発行人――伊藤嘉道
発行所――株式会社交通新聞社
https://www.kotsu.co.jp/
〒101-0062　東京都千代田区神田駿河台2-3-11
電話　(03) 6831-6560（編集）
(03) 6831-6622（販売）

カバーデザイン―アルビレオ
印刷・製本―大日本印刷株式会社

ISBN 978-4-330-03224-5